junior

La troisième fille de Néfertiti

Françoise Jay

Illustration de couverture :
Raphaël Gauthey

Magnard
Jeunesse

À Gaele…

1

Rencontre

— Camille ! Eh Camille !

— Elle est dans les pommes, donne-lui des gifles !

Au moment où Manon se décidait à intervenir, j'ai ouvert un œil et j'ai agité la main pour leur faire signe que ce ne serait pas la peine de me claquer les joues. Je ne m'étais pas vraiment évanouie. Je m'étais effondrée plutôt. Cela s'était fait si lentement que Manon, Justine et Brodequin avaient pu accompagner ma chute pour m'allonger par terre.

Lorsque j'ai ouvert l'autre œil, j'ai vu une tripotée de visages penchés sur moi. Nous étions dans la queue du restaurant scolaire quand cet étrange malaise avait eu raison de mes deux jambes.

Tous les élèves s'étaient rués sur nous. Résultat : leurs visages curieux faisaient la ronde au-dessus de moi. C'était désagréable.

– Ça va, Camille ? s'est inquiétée Manon.

– Ça va, ai-je bredouillé.

J'étais troublée que ma sœur me nomme par mon vrai prénom. Bien plus que par ma défaillance ! Car Manon n'utilise mon prénom que dans les moments tragiques. Et, des moments tragiques, nous n'en avions plus connu depuis notre retour d'Égypte, l'été précédent.

– Comment te sens-tu ? a répété Manon.

– Bien, je te dis !

– Qu'est-ce qui s'est passé ? Je n'ai rien compris, m'a demandé Justine.

– Moi non plus. J'ai soudain eu le souffle coupé et je suis tombée. Mais je n'ai pas complètement perdu connaissance.

– Tu crois que tu peux te relever ?

– Je vais essayer. J'espère que je n'ai rien de grave, le brevet est dans une semaine, ai-je ronchonné en me relevant doucement.

– Le brevet ! ont fait les voix outrées de Justine et Brodequin.

– Comme si c'était le moment d'y penser ! s'est exclamée Manon au comble de l'indignation.

– Vous vous en fichez, vous, vous l'avez eu l'an dernier ! ai-je protesté.

Le soir même, Manon, Justine et Brodequin seraient en vacances. Les grandes ! Les vraies ! Nous avions plein de projets et personne n'avait l'air de se souvenir que je devais passer le brevet avant de pouvoir me sentir définitivement embarquée pour l'été. Quand j'essayais de le leur rappeler, il y en avait toujours un pour lancer : « Arrête, Camomille ! Avec ta moyenne générale cette année, tu l'as avant de le passer ! »

Certes, mes résultats étaient bons et assuraient ma réussite à l'examen, mais je balisais quand même.

Je m'étais levée et je ne ressentais plus aucune douleur. La foule qui s'était pressée autour de moi commençait à se disperser, signe que j'allais mieux.

– Est-ce que tu te sens d'aller manger ? s'est enquis Brodequin dont l'estomac a des exigences hors normes.

Nous avons repris la queue, en silence. Ils me regardaient bizarrement, tous les trois, et je savais bien à quoi chacun d'eux pensait.

L'Égypte. L'Égypte. L'Égypte.

Chaque fois qu'un truc anormal nous était arrivé depuis deux ans[1], c'était toujours en lien avec l'Égypte. Je redoutais que l'un d'eux n'y fasse allusion. J'étais prête à parier que Brodequin allait dire quelque chose du genre : « Tu vas mieux, Petite Fleur du matin ? »

Petite Fleur du matin était le nom que m'avait donné Moufida[1], la Grande Prêtresse d'Aton, au cours de notre séjour en Égypte, l'été précédent. Elle m'avait révélé que j'avais des pouvoirs, mais les circonstances ne lui avaient pas donné le temps de m'enseigner comment les exploiter.

J'avais passé une année tranquille qui m'avait permis d'oublier toutes ces histoires. Pas de rêves, pas de prémonitions, pas d'invasions d'images égyptiennes. Rien.

Et voilà qu'à l'instant où la douleur m'avait saisie, les images de l'Égypte s'étaient remises à couler à flot. Cela ne me plaisait guère et je me

---

1. Voir *Sacré scarabée sacré !* et *Le secret d'Akhénaton*, du même auteur.

suis bien gardée d'en dire quoi que ce soit aux autres.

Le soir, maman a voulu que je consulte le médecin. Je l'ai docilement suivie jusqu'à la place de la Baleine, où exerce le docteur Barro. Il m'a longuement examinée et a déclaré que j'avais eu un simple coup de chaleur !

Le lendemain, je me suis réveillée de bonne humeur. Pendant le petit-déjeuner, nos parents nous ont demandé si nous voulions aller au marché Saint-Antoine avec eux. Le samedi matin, c'est une sortie familiale. Manon a accepté. J'ai préféré réviser.

Je me suis retrouvée toute seule à la maison. J'ai ouvert mon livre de maths et je me suis mise au travail. Je suis restée une bonne heure concentrée sur mes exercices. Petit à petit, mon attention s'est dispersée. Un petit coup d'œil par la fenêtre, une petite virée dans le réfrigérateur, un petit stage devant la glace à me regarder stupidement, et l'envie m'est venue d'aller faire un tour. J'ai chaussé mes sandales et je suis sortie.

Balade.

La rue Tramassac, la rue Dubœuf, la rue Gadagne... Je marchais la tête vide, juste absorbée par les lieux... La rue Juiverie, le quai de la Saône et la rue du Bât d'Argent, la passerelle du Collège où je me suis arrêtée pour m'accouder au parapet. Là, j'ai regardé couler le Rhône. L'eau était verte et brassait des remous argentés. Peu à peu, les bruits de la ville ont fait place à une mélodie répétitive, à la fois mélancolique et joyeuse, jouée par un instrument à corde. Une mélodie qui m'emportait, me laissant dans un état second.

... L'eau danse devant mes yeux. Des voix chantent, rient et murmurent autour de moi. Ambiance de fête. La musique devient solennelle et égrène sagement ses notes. J'aime cette musique. J'aime cet instant. Une joie s'installe en moi. Sereine. Mon cœur est plein d'amour. Petit à petit, je comprends que je suis amoureuse. Mais je ne parviens pas à savoir de qui. Une larme roule sur ma joue. Je lève les yeux et, à travers mes larmes, je vois la boule ronde du soleil. Je suis éblouie. Je pousse un cri et mets ma main devant mes yeux. Mes jambes se dérobent. Je dois m'accroupir...

– Ohé... Tu m'entends ? a lancé une voix qui me semblait lointaine et qui insistait, ohé, ça va ?

J'ai eu du mal à émerger et j'ai marmonné un

petit « oui ». J'ai senti qu'on m'aidait à me relever. Docile, je me suis laissée faire et je me suis retrouvée en face d'un garçon de mon âge. Je me suis mise à sangloter et je me suis effondrée contre son épaule. Il a refermé ses bras sur moi et m'a bercée. J'étais submergée par le chagrin et il me semblait que je ne pourrais plus m'arrêter de pleurer.

– Mais non ! Ça ne va pas du tout, a-t-il affirmé d'une voix tendre, tu as raison de pleurer. Ça va te faire du bien.

Sa voix a provoqué un grand calme en moi. Je l'ai regardé. Ses yeux noirs me fixaient avec une infinie gentillesse.

– Merci, ai-je reniflé.

– Normal, a-t-il répondu en passant ses mains dans sa tignasse frisée.

Il avait les cheveux aussi noirs que ses yeux.

Je ne savais pas exactement ce qui m'avait mise dans cet état-là, mais je comprenais que l'Égypte se réveillait bel et bien en moi.

– Euh... Je m'appelle Camomille, enfin Camille, mais tout le monde m'appelle Camomille, ai-je bafouillé, faute de mieux.

– Sami.

– Bonjour, Sami.

– Enchanté, Camille.

Il m'a pris la main et a fait le geste du baise-main. J'ai ri. Il a ri aussi.

– Si tu as cinq minutes, on peut aller boire quelque chose. Il y a un bistrot sympa rue Gentil.

– Je veux bien, ai-je dit.

Il m'avait déjà attrapé la main et m'entraînait.

En arrivant dans le bistrot, nous avons commandé chacun une orange pressée et nous nous sommes installés à une table isolée.

– Tu es au lycée Ampère ? ai-je demandé.

– Non. Je suis étudiant en architecture. En première année.

– Ah ! Tu es bien plus vieux que moi, ai-je constaté, je suis en troisième, à Jean Moulin.

– J'ai 16 ans, ça ne nous fait plus qu'un an d'écart ! J'ai deux ans d'avance. J'ai toujours bien marché en classe, a-t-il précisé avec un air penaud que j'ai trouvé drôle.

– Ce n'est pas honteux !

– Non... Alors, tu me racontes ce gros chagrin ? Enfin, ne te sens pas obligée, c'est juste que parfois, ça soulage...

Je l'ai regardé un moment, dubitative.

– C'est une longue histoire.

– Raconte !

Un instant encore, j'ai hésité. Et puis, une grande sérénité s'est installée en moi avec la certitude que je pouvais lui faire confiance. C'était une intuition étrange parce que je sentais qu'il me l'imposait sans en avoir conscience. Je sentais aussi qu'il était digne d'entendre mon histoire.

Je me suis lancée. Je lui ai raconté mon Égypte.

Il m'a écoutée sans m'interrompre. Et il n'a fait aucun commentaire. Puis, il m'a raconté sa vie qui n'avait pas toujours été drôle jusque-là. Il vivait chez ses grands-parents depuis la disparition de ses parents dans un accident d'avion deux ans auparavant.

Lorsque nous nous sommes quittés, j'avais l'impression que nous nous connaissions depuis toujours.

2

L'Égypte se réveille

Ma sœur mise à part, je n'avais jamais parlé comme ça avec quelqu'un. Mais c'était encore mieux avec Sami. C'est peut-être pour cela que je n'ai pas parlé de cette rencontre à Manon.

Je suis restée d'une humeur particulièrement joyeuse tout le samedi. Au point que Brodequin m'en a fait la remarque alors que nous faisions un petit goûter dans notre cave-cocon. J'ai éludé comme j'ai pu. Par contre, impossible malgré tous mes efforts, d'assombrir ma jovialité. J'ai bien vu que ma sœur et mes deux amis se regardaient en coin. D'habitude, cela m'aurait énervée. Là, je m'en fichais. J'étais ailleurs. Ma rencontre avec Sami m'avait fait oublier ce qui l'avait provoquée. Oubliées les visions que j'avais eues sur la passerelle du Collège, oublié mon malaise de la veille, oublié le réveil de l'Égypte.

Le soir, je me suis couchée, l'esprit tranquille. Et la nuit, j'ai fait un rêve délicieux. Je me promenais dans un jardin immense. De l'eau coulait à mes pieds. Le soleil était chaud. Des plantes verdoyantes bordaient la rivière. Des oiseaux s'envolaient en piaillant gaiement. Un garçon riait derrière moi et les cordes pincées d'un instrument répandaient une mélodie tendre et un peu mélancolique. Le garçon sautillait autour de moi. J'étais euphorique...

Lorsque je me suis réveillée le matin, j'ai eu le sentiment que ce garçon était Sami. Pourtant, dans mon rêve, à aucun moment je n'avais aperçu son visage.

Dimanche après-midi, j'ai faussé compagnie à la petite bande et j'ai rejoint Sami au musée des Beaux-Arts. Il voulait voir le département égyptien avec moi. Ce fut une visite commentée, très nourrie de tout ce que je savais grâce à Moufida.

– Est-ce que tu as gardé la faculté de te déplacer dans le temps et l'espace ? m'a demandé Sami.

– Je ne sais pas. En fait, sans Moufida, je ne peux pas grand-chose.

– Pourtant, elle t'a bien dit que tu avais des dons...

– ... étonnants pour une fille d'Occident, oui ! Et c'est pour ça qu'elle m'a offert le pendentif de Néfertiti qui est destiné à la Grande Prêtresse d'Aton.

– Tu veux dire que...

– Non, ai-je coupé, c'est Mariam, la fille de Moufida qui sera la prochaine Grande Prêtresse d'Aton, pas moi. Mais son esprit est perméable. Le Grand Prêtre d'Amon a tenté de s'en emparer. Pour l'empêcher de réussir, Moufida a momentanément transféré les savoirs anciens et les pouvoirs de Mariam dans ma mémoire[1]. Si elle ne parvient pas à guérir Mariam, Moufida devra se résoudre à choisir quelqu'un d'autre pour lui succéder. Quand j'ai raconté ça à Manon, Justine et Brodequin, ils ont cru, eux aussi, que cette autre, c'était moi. Mais Moufida espère sauver

1. Voir *Sacré scarabée sacré !* et *Le secret d'Akhénaton*, du même auteur.

Mariam. Je l'ai compris dans les pensées de Moufida.

– Comment ça « compris » ?

– Je ne sais pas comment dire autrement. Moufida me parlait souvent par télépathie. Je percevais tout un tas de choses d'elle. Après mon retour, les images que j'avais ainsi glanées ont pris un autre relief. Comme un puzzle dont on finit par assembler les pièces... Comment Moufida espère-t-elle sauver Mariam ? Je n'ai pas pu le découvrir. En tout cas, elle va tout tenter pour que sa fille aînée devienne grande prêtresse d'Aton. Et je crains d'avoir un rôle à y jouer.

– Tu crois que ce qui est arrivé ces derniers jours serait sa manière de te faire signe ?

J'ai haussé les épaules. J'aurais tellement aimé répondre « non » à cette question.

Nous étions sortis et nous marchions d'un même pas vers l'un des quatre petits bosquets qui composent le jardin du musée. Sans nous être concertés, nous nous sommes assis sur un banc.

– Si je comprends bien, tu n'as pas appris à utiliser ta magie.

– Ben, non... Je n'en ai pas vraiment eu le temps.

– Mais ce talent est en toi.

– Indompté, oui.

– Hier... Sur le pont...

Sami hésitait. Dans ses yeux, je voyais qu'il ne voulait pas me froisser.

– À quoi penses-tu ?

– Tu as été... victime... Je veux dire... c'était dû à tes pouvoirs ?

– Je n'en suis pas certaine, mais c'est probable.

– Pourquoi tu n'essaierais pas de...

– Essayer quoi ?

– Je pensais qu'en les apprivoisant... Ça t'énerve qu'on te parle de ça ?

– Moins quand c'est toi...

J'ai marqué un petit silence pour respirer et j'ai ajouté :

– Sans Moufida, je ne peux pas avancer dans cet apprentissage, ai-je répliqué sèchement.

– Je te raccompagne ? a proposé Sami.

J'avais été un peu dure avec lui et je le regrettais. Mais à propos de mes dons, j'étais épidermique. Justine, Manon et Brodequin n'abordaient plus ce sujet depuis notre retour en France, fin juillet. Je leur avais mis les points sur les « i » à l'arrivée à l'aéroport Saint-Exupéry et je leur avais fait promettre de ne jamais évoquer ce que notre séjour avait révélé de moi. Ils avaient tenu leur promesse jusque-là et j'avais réussi à faire comme si... Pourtant, bien des choses étaient différentes, depuis l'Égypte. Ma perception du monde et surtout ma perception des autres avaient changé. Il m'arrivait de percevoir les émotions des gens autour de moi, de pénétrer leurs pensées et, parfois, de connaître leurs intentions.

Sami s'était levé. J'étais désolée. J'aurais voulu rester encore un peu avec lui, mais je ne savais pas comment le lui dire. De plus, je savais qu'il n'avait pas envie de partir lui non plus. Je me suis levée.

– Je te raccompagne, a-t-il répété.

– Je veux bien.

Soudain, une douleur au bras gauche m'a arraché un cri. Je me suis pliée en deux et j'ai attrapé mon bras de la main droite comme pour l'empêcher de tomber.

– Camille !

– Ça va, Sami. C'est passé.

La douleur avait duré un bref instant, mais elle avait été intolérable. J'en avais encore les larmes aux yeux. D'une caresse, avec la paume de sa main, Sami a essuyé une larme qui roulait sur ma joue.

– Il y a quelque chose d'anormal, Camille. Tu ne peux pas le nier.

– Oui. Je ne veux pas que ce soit dit, mais ça se réveille.

– L'Égypte se réveille et ça te fait peur, a-t-il affirmé.

Je l'ai regardé, étonnée. Il venait de dire exactement ce qu'il y avait en moi depuis mon malaise au collège.

– Oui... j'ai peur, ai-je confirmé.

Les larmes sont venues d'un coup sans que je puisse les retenir.

Comme la veille, Sami a replié ses bras sur moi et il m'a bercée. La superposition des deux scènes m'a paru comique ; je me suis mise à rire au milieu de mes sanglots.

– Tu es à fleur d'émotion, a murmuré Sami en pressant la paume de sa main sur mes cheveux.

– Petite Fleur du matin est à fleur d'émotion, ai-je ironisé.

Sami m'a raccompagnée jusqu'à la place Saint-Jean. Je ne voulais pas que Manon, Justine et Brodequin nous voient ensemble. Je n'avais pas envie d'essuyer leurs sarcasmes, ni de répondre à leurs questions. J'avais eu assez de mal à m'échapper pour l'après-midi.

Je les ai retrouvés tous les trois vautrés sur le canapé de notre cave.

– Alors ? a commencé Justine.

– On a fait sa petite bande à part ? a continué Brodequin.

– J'espère que tu as passé une bonne après-midi ? a terminé Manon.

Des trois, c'était Manon la moins caustique.

– Je me suis baladée dans Lyon et j'ai fait une halte au musée.

Pas la peine de leur préciser quel musée. Pour nous maintenant, « le musée », c'est le musée des Beaux-Arts.

– L'Égypte, a suggéré Manon.

– Tu veux qu'on en parle ? a demandé Justine.

– C'est un peu tôt, ai-je répondu.

– Si c'est un peu tôt, c'est donc que ce serait pertinent d'en parler, a déduit Justine.

– Bon, on lui fiche la paix avec ça ! a coupé Manon. Simplement, Camille, s'il y avait quoi que ce soit de sérieux, tu nous le dirais.

– Évidemment !

– Jure-le ! a exigé Manon.

Son ton était grave.

– Je te le jure.

– Dans ce cas... a bougonné Justine avec une pointe de regret.

Le soir, avant de m'endormir, je me suis dit que je grandissais. La petite Camomille était en train de disparaître. Sami m'appelait Camille et Manon avait l'air de s'y mettre aussi. Une bouffée de nostalgie est venue me pincer. Je l'ai laissée me submerger, puis je l'ai regardée s'éteindre. Une fierté immense lui a succédé. Il y avait quelque chose de galvanisant dans cette sensation de grandir. J'ai fermé les yeux et j'ai profité de cette émotion.

3

Incident

La semaine suivante a été un peu triste.

Manon, Justine et Brodequin étaient en vacances. Sami passait ses examens de validation de second semestre.

Le matin, je me levais et je jetais un coup d'œil envieux à Manon qui dormait à poings fermés. Je prenais mon petit-déjeuner toute seule. Mes parents étaient déjà partis. Papa avait fini par vendre son affaire pour reprendre une petite librairie à deux pas de chez nous et maman travaillait avec lui. On voyait moins nos parents, mais lorsqu'ils étaient là, ils étaient plus sereins. Cela avait apaisé l'atmosphère de la maison.

Je partais au collège vers huit heures moins le quart et je croisais Brodequin qui allait donner un coup de main à sa mère, au restaurant. Le soir, Sami venait me chercher et il me raccompagnait jusqu'à la place Saint-Jean. Notre conversation reprenait là où nous l'avions arrêtée la veille. J'aimais ça, parler avec lui, être avec lui.

Il me tardait d'être en vacances. Il me semblait que le vendredi, dernier jour de collège, n'arriverait jamais.

Chaque nuit, je faisais le même rêve. Le jardin, l'eau, le soleil, les plantes, la rivière et la présence de ce garçon dont je ne distinguais jamais le visage. Maintenant, je voyais son crâne entièrement chauve et sa longue mèche de cheveux nouée près de sa tempe droite. Chaque nuit, le rêve s'arrêtait au moment où j'aurais pu voir son visage. Et toujours cet instrument à cordes qui m'enveloppait de sa sonorité nostalgique.

Les plantes étaient celles qui bordaient le Nil au temps des pharaons. Des lotus, des palmiers, des joncs, des papyrus... La coiffure du garçon était celle des garçons appartenant à la haute noblesse. Je savais que ce rêve me ramenait en Égypte. Celle-là même où Moufida m'avait envoyée une fois, l'été précédent. La Grande Prêtresse d'Aton m'avait transportée dans le corps de la princesse Ankhesenpaaton, la troisième fille d'Akhénaton et de Néfertiti.

Le jeudi, il s'est passé une chose étrange.

La prof de maths, une caractérielle finie, a déchaîné sa haine sur Jonas qui avait été sa victime préférée pendant toute l'année. Elle l'a agoni de méchancetés, genre « tu n'arriveras jamais à rien », jusqu'à ce :

– Et ça veut être photographe de mode, ça !

Le « ça » a déclenché en moi une de ces colères dont j'ai le secret. Je suis plutôt douce et paisible, mais quand quelque chose me heurte...

– Vous n'avez pas le droit de lui parler comme vous le faites ! Et encore moins de dire « ça » en parlant de lui, ai-je lancé.

Elle s'est retournée vers moi.

– Camille ? s'est-elle écriée, interloquée.

Elle s'est approchée de moi. On aurait dit un vautour qui se régale à l'avance à la perspective de se saisir d'une proie facile :

– Camille ! a-t-elle repris d'un ton jouissif, Camille qu'on n'a pas entendue de toute l'année ! Tu ne serais pas aussi insipide que je le croyais ?

Tu as quelque chose à ajouter avant que je t'envoie chez le principal pour impertinence ?

– Ce n'est pas de l'impertinence.

– Ah non ! Quoi, alors ?

– De l'humanité, ai-je répondu en la regardant droit dans les yeux.

– Dehors ! a-t-elle hurlé, Jonas aussi !

L'après-midi, j'ai croisé la prof dans l'escalier et je me souviens avoir pensé « Casse-toi la figure, qu'on rigole ». Au même instant, j'ai entendu un cri. Je me suis retournée et j'ai vu la prof de maths s'étaler les quatre fers en l'air sur le palier du premier étage. Les documents qu'elle avait sous le bras étaient éparpillés autour d'elle, sa jupe était remontée jusque sous son menton. Il devait bien y avoir une trentaine d'élèves dans le secteur à ce moment-là. Tous pliés de rire.

Je n'ai pas voulu voir la suite, je me suis sauvée en courant. J'avais voulu quelque chose qui s'était produit !

C'était effrayant.

Lorsque j'ai raconté l'incident à Sami, j'ai ajouté :

– C'était quelque chose de méchant. C'est ça qui me terrifie le plus !

—Tu as été victime de ta magie, a assuré Sami gentiment, tu ne vas pas te mettre à culpabiliser.

—Et qu'est-ce que tu connais à ma magie ? ai-je demandé un brin agressive.

—Mais rien ! a-t-il rétorqué comme si je le prenais en faute, juste ce que tu m'en as raconté.

—En Égypte, j'étais toujours guidée par la pensée de Moufida, ai-je dit.

—Et ici, tu es seule...

—Oui, et c'est bien ça qui m'inquiète. Je ne sais pas comment m'en servir. Je ne sais même pas comment elle se déclenche.

—Tu sais déjà que c'est lié à ce que tu souhaites intensément.

—Pas seulement. Regarde, là, je souhaite intensément manger un sorbet à la fraise et je ne fais pas apparaître de sorbet à la fraise.

—Camille, tu te moques de moi ! a grondé doucement Sami.

Il avait dit ça avec tant de sérieux !

—Je sais. Ce n'est pas matériel. C'est toujours une intention par rapport à quelqu'un. Comme si... comme si j'agissais sur la volonté des gens ou sur leur... je ne trouve pas le mot... leur « agir »... Je peux savoir aussi quelles sont les intentions des autres, mais pas systématiquement. Ça me vient ou ça ne me vient pas. Je ne peux pas tout à fait procéder de manière volontaire et déterminée... En fait, je ne maîtrise rien.

– C'est juste une question d'entraînement, a-t-il affirmé.

Sami me parlait comme Moufida aurait pu le faire ! C'était déstabilisant. J'ai marqué un temps, surprise.

– D'entraînement peut-être, mais surtout d'enseignement. Et Moufida est à des milliers de kilomètres, ai-je objecté sur un ton qui n'appelait pas de réponse.

Nous arrivions place Saint-Jean.

– À demain, Sami.

– À demain, Camille.

Je l'ai regardé s'éloigner, à la fois soulagée et triste. Notre conversation m'avait déconcertée. Pourtant, je n'aspirais qu'à sa compagnie.

4

Présentations

Le vendredi a été une drôle de journée.

Je n'arrêtais pas de me dire que je vivais ma dernière journée de collégienne. Ça m'avait fait la même chose le dernier jour du CM2. J'ai toujours eu des difficultés avec les « plus jamais ». En même temps, j'étais contente d'en avoir définitivement terminé avec le collège. Mon humeur était donc joyeusement nostalgique.

Le soir, Sami a voulu que je m'entraîne.

– Il faut te familiariser avec tes pouvoirs.

– Mais comment ? ai-je ronchonné.

– La seule manière, c'est de t'exercer.

– M'exercer ! me suis-je exclamée, mais sans Moufida, je ne peux rien....

– Arrête de radoter... C'est trop facile comme réponse. Tu peux déjà voir, sentir ce qui se passe en toi...

Il avait laissé sa phrase en suspens et avait plongé ses yeux dans les miens. J'ai eu l'impression qu'il venait lire en moi. J'ai soutenu son regard avec difficulté comme si l'espace d'un instant nous étions devenus ennemis.

– Seulement, il faut que tu le veuilles, a-t-il souligné.

– Mais je ne le veux pas.

– Je vois ça.

C'était un reproche et une affirmation. Perturbant. Comment ce garçon que je connaissais depuis moins de quinze jours pouvait-il savoir aussi finement ce que je ressentais ? Mais l'instant d'après, il a ajouté d'un ton enjôleur et avec un sourire rieur qui m'ont aussitôt fait oublier mes interrogations :

– Si tu changes d'avis, je veux bien être ton coach.

– Je ne veux pas du tout que tu sois mon coach et, d'ailleurs, je ne vois pas comment tu pourrais m'aider !

Absorbés par notre discussion, nous avions

déambulé dans Saint-Jean et nous venions d'arriver en bas de chez moi.

– J'habite ici, ai-je annoncé.

– Moi aussi, a persiflé la voix de Manon derrière moi.

Je me suis retournée vivement. Je devais être rouge comme une pivoine.

– Ah ! Salut, ai-je grogné.

– Salut ! a répondu ma sœur les yeux rivés sur Sami.

Pas besoin de maîtriser la magie égyptienne pour savoir qu'elle voulait que je lui présente mon nouvel ami.

– Sami, je te présente ma sœur Manon.

Comme elle l'observait avec cet air goguenard que je déteste particulièrement chez elle, j'ai ajouté à son intention :

– Sami, euh... un copain.

– Salut, a enfin dit Manon.

Elle nous a bien regardés, l'un puis l'autre, et :

– Je venais te chercher pour fêter les vacances. Juliette nous a préparé un petit goûter.

Manon s'est tournée vers Sami :

– Juliette, a-t-elle précisé, c'est la mère de notre copain Anthonin, alias Brodequin. Elle a un petit bouchon sympa. Ça s'appelle «Chez Juliette», justement.

Elle a poursuivi à mon intention :

– Sami peut venir. Comme ça, on fera les présentations du reste de la petite bande.

Et voilà ! Sami allait être embarqué et cela ne me plaisait pas. J'avais bien prévu de le leur présenter, mais pas aussi vite. Ça m'échappait et j'en éprouvais un intense déplaisir. D'autant que Sami avait l'air de plaire à Manon. Je veux dire, un peu trop. Elle l'avait attrapé par le bras et l'entraînait déjà.

On a marché jusqu'au début de la rue Dubœuf. Moi, derrière eux, contrariée. Très contrariée, même.

Le restaurant de Juliette est un peu plus bas dans la rue. Je me voyais mal continuer cette espèce de procession avec ma sœur au bras de mon ami.

« Mais lâche-le ! » ai-je pensé, la rage me prenant.

Manon a brusquement lâché Sami, comme s'il l'avait brûlée. Elle s'est retournée.

– Tu arrives ? m'a-t-elle demandé, une expression d'étonnement au coin des lèvres.

– J'arrive, ai-je chantonné en m'avançant jusqu'à Sami.

Nous sommes repartis. Elle, derrière, et nous, devant !

– C'est toi qui as voulu qu'elle me lâche, a glissé Sami à mon oreille.

J'ai opiné.

– Comment le sais-tu ?

Il s'est rapproché un peu plus.

– Je ne sais pas, a-t-il bredouillé, je l'ai senti. C'est inexplicable....

Et il a ri d'un rire gêné qui n'avait rien de contagieux. Une vague inquiétude m'a traversée, mais nous arrivions.

– Ah ! Voilà l'explication de ton escapade de dimanche après-midi, s'est écriée Justine après les présentations.

– Et l'explication de ton humeur allègre, a surenchéri Brodequin qui se passionnait pour le vocabulaire depuis peu et en prévision de son bac de français. Depuis le mois d'avril, il flirtait avec le *Petit Robert*. Ça m'avait amusée jusquelà...

– Bienvenue dans la petite bande, a déclaré Manon.

– Ouais, l'ami de notre amie ne peut être que notre ami, a approuvé Brodequin avant d'ajouter : je suis content que tu ne sois pas une fille. Ça va équilibrer les choses.

Sami était adopté. C'était mieux comme ça, même si mon intention était de le garder pour moi toute seule.

5

Entrer en contact avec Moufida

Je rêve... C'est mon mariage. Je peux voir le visage de mon époux, Toutankhamon, le garçon chauve à la queue-de-cheval, qui a accompagné mes rêves. Il a les traits fins et réguliers. Il me regarde avec amour. Il y a entre nous une complicité qui nous vient de l'enfance. Il y a en moi une grande joie. Je regarde le fleuve où navigue une felouque. Je sens la chaleur du soleil et la main de Toutankhamon dans la mienne. Peu à peu les images deviennent floues et la joie fait place à une tristesse immense...

Je me suis réveillée en larmes. Impossible de m'arrêter.

– Qu'est-ce qui se passe, a murmuré Manon la voix ensommeillée.

– Je t'ai réveillée ?

– Pas grave. Pourquoi pleures-tu ?

– Je ne sais pas très bien...

– Il y a bien un truc qui a déclenché ça, non ?

J'ai tout raconté à Manon.

– Des rêves récurrents sur l'Égypte et des douleurs bizarres, parfois intenses, mais toujours fugitives, a résumé Manon, tu en conclus quoi ?

– Il se passe quelque chose... Mais ?

– Tu devrais en parler à Moufida.

– Comment ? Elle n'a pas le téléphone, encore moins Internet et je me vois mal appeler Ali[1] pour lui demander de servir d'intermédiaire !

– Si je ne te connaissais pas comme je te connais, je penserais que tu es stupide, a soufflé Manon d'un ton exaspéré.

– Mais quoi ?

– Réfléchis, Camille ! Il doit être possible pour toi d'entrer en contact avec Moufida autrement que par nos pauvres moyens d'Occidentaux étriqués.

---

1. Voir *Sacré scarabée sacré !* et *Le secret d'Akhénaton*, du même auteur.

– Tu veux dire par la pensée ? ai-je aboyé.

– Chut, tu vas réveiller les parents… Oui, ou par le rêve.

Par le rêve ! Voilà bien Manon ! Il lui suffisait de le dire pour qu'elle soit persuadée de la possibilité de la chose. Par le rêve !

– Et si tu utilisais l'amulette que Moufida t'a donnée pour entrer en contact avec elle ? a-t-elle suggéré.

J'ai haussé les épaules.

– C'est elle qui entrait toujours en contact avec moi.

Je réfutais l'idée de Manon et en même temps, il m'apparaissait qu'elle avait peut-être raison. En fait, contacter Moufida ne m'était pas venu à l'idée !

– Essaye ! Qu'est-ce que tu risques ? a insisté ma sœur têtue.

– Rien, ai-je admis, je vais essayer.

Je me suis laissée retomber dans mon lit et je n'ai plus rien dit. Manon s'est rendormie aussi sec. À mon habitude, je me suis mise à brasser. Et plus je brassais, plus je détestais ce don de magie. Cela n'allait pas avec moi. Je suis une fille comme une autre, juste un peu plus timide et timorée. Mais terriblement plus angoissée. Je voulais vivre une vie tranquille et m'arranger comme je le pouvais avec ce caractère dénué de sérénité. Alors pourquoi toute cette histoire était-elle tombée sur moi ?

Sur le lit à côté, Manon dormait.

J'ai passé le pendentif de Néfertiti autour de mon cou. Dans ma main droite, j'ai serré l'amulette de Moufida. En pensée, j'ai appelé la Grande Prêtresse d'Aton. Rien ne s'est produit et le sommeil m'a emportée.

– Je suis là, Petite Fleur, murmure une voix douce.

– Moufida ?

– Tu m'as appelée, répond-elle sur le ton de l'évidence.

– Oui. Merci d'être venue.

– Je ne suis là que dans ton rêve. Mais, de ce rêve, tu n'oublieras rien.

Ses deux yeux verts me regardent avec tendresse. Je m'apaise. Je lui raconte les rêves et les douleurs.

Elle m'écoute sans poser de question, puis :

– Tu ne me dis rien de tes pouvoirs ?

Je ris et je lui fais un récit détaillé de mes expériences.

– Il faut que tu saches que tu as de grandes capacités. Tu as aussi les connaissances et la puissance de Mariam.

– Je ne sais pas m'en servir...

– Accepte et éprouve...

Moufida est sereine et pourtant je perçois de l'inquiétude en elle. Je lui en fais part.

– C'est vrai. Tes douleurs me troublent... Mais je n'ai pas de réponse certaine pour le moment.

Elle ferme les yeux et continue :

– Lorsque la douleur est là, ne la refuse pas. Laisse venir les images. Ne refuse pas tes émotions. C'est toi qui comprendras. Appelle-moi lorsque tu sauras.

Son image s'estompe lentement.

– Au revoir Moufida, dis-je, déçue qu'elle parte déjà.

Le matin, je ne savais plus si j'avais rêvé ou si la Grande Prêtresse d'Aton était réellement venue dans notre chambre tant le souvenir était vif et palpable.

Au petit-déjeuner, je me suis bien gardée de dire quoi que ce soit à Manon. Je n'avais pas envie de son habituel apitoiement affectueux et protecteur de grande sœur. Je n'avais pas envie, non plus, des conseils de Justine et des encouragements maladroits de Brodequin. J'étais la plus jeune de la petite bande et ils continuaient à me traiter comme un bébé. J'avais compris ça, grâce à Sami. Lui me considérait comme une personne. Il m'écoutait avec sérieux. Il ne se moquait jamais. On se parlait. Quelque chose se tissait entre nous. Même si parfois il me déroutait.

Comme à son habitude, Sami ne m'a pas interrompue. Il m'observait et ses yeux noirs accompagnaient mon récit.

– Et rien sur comment maîtriser mes dons ! ai-je conclu.

– Si. Accepte et éprouve.

Sami avait dit cela avec malice, mais aussi avec tendresse. J'ai ri.

– Ben quoi ? s'est-il étonné.

– Rien.

On s'est regardés un moment sans rien dire.

– Je ne sais pas si j'ai envie d'accepter.

– Je crois que tu n'as pas le choix, a affirmé Sami.

Il n'y avait plus rien de malicieux sur son visage. De la gravité, plutôt.

– C'est pour ça que j'ai du mal à l'accepter. Justement parce que je n'ai pas le choix. Ça m'est imposé et je me sens prise au piège, ai-je confié.

– Ce n'est pas exact. Tes pouvoirs ne te sont pas imposés. Ils sont en toi. Ton voyage en Égypte n'a fait que les révéler...

Nous étions assis côte à côte sur notre banc dans le jardin du musée. Il s'est penché vers moi et a posé sa tête sur mon épaule.

Soudain, une douleur m'a pincée au ventre. J'ai poussé un cri et j'ai attrapé le bras de Sami.

– Camille ! a-t-il lancé.

– Mon ventre, j'ai mal, ai-je soufflé.

– Accepte la douleur, Camille. C'est le seul moyen de savoir ! Je suis là, je ne te lâche pas...

Je me suis accrochée à sa voix et je me suis soumise à son injonction. Mais déjà, instinctivement, j'avais comme attrapé la douleur. Petit à petit, elle s'est estompée et j'ai pu me consacrer à toutes mes perceptions.

... Sensation d'être couchée sur le dos. Je ne vois rien. On parle au-dessus de moi. Assez vite, j'identifie trois voix différentes. Je lutte pour ne pas refuser ce qui arrive. Être là par l'esprit alors que mon corps n'y est pas. Je me remémore les mots de Moufida « Éprouve et accepte », puis la promesse de Sami « Je ne te lâche pas »...

Peu à peu, les voix deviennent paroles et j'en saisis quelques bribes.

Un homme, avec un léger accent étranger :

– ... La première couche sera longue à enlever...

Un autre :

– ... Nouvel Empire. Nous allons peut-être trouver des indications sur les amulettes qui permettront de l'identifier.

Un troisième homme :

– ... L'état de conservation est acceptable.

L'instant suivant, je ne suis plus étendue. Je flotte dans la salle et mes yeux cessent d'être aveugles. Devant moi, trois hommes, masqués à la manière des chirurgiens, sont penchés au-dessus d'une espèce de table d'opération. Mais nous ne sommes pas dans une salle d'opération. Ma vision se rapproche de la table, comme lorsqu'on actionne le zoom d'un appareil photo. Et soudain, je vois ce qui est l'objet de leurs « soins ». Sur la table se trouve une momie dont ils commencent à retirer les bandelettes ventrales.

Tout s'évanouit d'un coup. De nouveau l'absence d'image et juste la voix de Sami qui psalmodie des mots dont je ne comprends pas le sens et dont je parviens à isoler les termes « carré », « trois », « racine », et la lettre « g »...

Ensuite, la sensation bizarre de revenir dans mon corps, et je me suis réveillée. J'étais allongée sur le banc et ma tête reposait sur les genoux de Sami. Il ne parlait plus. Il était penché sur moi et avait ses deux mains autour de mes épaules. Il me fixait avec anxiété.

– Camille, a-t-il murmuré.

– Ça va, l'ai-je rassuré.

– Alors ?

– Dis-moi d'abord ce qui s'est passé de ce côté ? ai-je exigé.

– Tu es tombée comme une poupée de chiffon, toute molle. Je t'ai allongée et j'ai attendu. Je t'ai juste tenue comme ça tout le long, a-t-il raconté.

– Tu n'as rien fait d'autre ? ai-je insisté.

– Euh... non, a-t-il hésité.

– Ça a duré longtemps ?

– Oui... Non. Je ne sais pas. Tu sais, c'était impressionnant. Forcément, ça a dû me paraître plus long... Je dirais une ou deux minutes... Est-ce que tu vas tout à fait bien, maintenant ?

– Oui... ai-je répondu, troublée.

Pourquoi ne me disait-il pas qu'il avait déclamé des mots étranges ?

L'avais-je réellement entendu les prononcer ?

Le doute s'insinuait.

– Et toi ? a demandé Sami avec impatience.

J'ai eu une hésitation... Je n'étais pas sûre qu'il fallait lui dire ce que j'avais vu. Et pourtant, je n'ai pas pu résister.

– Je crois que je sais, ai-je soufflé et l'émotion m'a submergée. Je me suis mise à pleurer. J'ai fait signe à Sami que ça allait passer. Il a attendu sans rien dire.

– Ça va, ai-je dit au bout d'un moment, en fait, ce n'est pas vraiment moi qui pleure.

– Tu peux me le dire ou ça doit rester secret ?

Je lui ai su gré d'évoquer cette possibilité. Cela estompait l'ombre qui s'était glissée en moi. Je lui ai raconté tout ce que je venais de vivre.

– Et cette momie d'après toi, c'est...

– Ankhesenpaaton. La troisième fille de Néfertiti et d'Akhénaton et aussi... l'épouse de Toutankhamon.

– Tu es sûre ?

– Presque. Ce serait logique que ce soit elle. Je

suis liée à Ankhesenpaaton par mon voyage en elle, dans le passé. Mais je vais vérifier auprès de Moufida, la nuit prochaine.

6

Camomille devient Camille

– Tu as raison. Il s'agit d'Ankhesenpaaton. Sa momie a été retrouvée l'hiver dernier dans les réserves du musée de ta ville et confiée aux soins d'un égyptologue français qui se nomme Robert-Louis Ciblari.

Moufida est debout devant moi. Son visage est serein, mais je la sens préoccupée.

– Lors de ton voyage dans l'Égypte ancienne, quelque chose d'elle est resté accroché en toi, ajoute-t-elle, c'est pourquoi tu es réceptive...

La Grande Prêtresse d'Aton plisse ses yeux et sourit. Les myriades de rides qui courent sur son visage de vieille dame se creusent et je la trouve émouvante.

– La momie d'Ankhesenpaaton est très probablement porteuse d'un papyrus que je cherche
depuis longtemps. Si ce papyrus contient ce que
je crois, ma fille Mariam pourra de nouveau pré-
tendre à ma succession...

– Cela veut dire...

– Que nous pourrons reprendre dans ton esprit
la mémoire qui lui appartient... Tu dois retrouver
et récupérer ce papyrus avant qu'il soit découvert
par l'équipe que tu as vu s'affairer autour
d'Ankhesenpaaton. Il te reste peu de temps... Dès
demain matin, mets-toi au travail. Retrouve la
momie. Utilise tes pouvoirs. Garde toujours sur
toi le collier de Néfertiti que je t'ai donné.

D'un geste de la main, elle arrête ma question :

– Aide-toi de l'amulette pour matérialiser les
charmes que tu jettes. Cela t'aidera au début.
N'aie crainte, je suis avec toi.

Il me semble qu'elle hésite, puis :

– Je sens une âme ancienne non loin de toi... Je
perçois aussi une grande puissance mentale et
magique... Reste vigilante...

Je me suis réveillée aux aurores. Impossible de
me rendormir. Les dernières paroles de Moufida
m'avaient inquiétée.

Je me suis levée. J'ai traversé l'appartement sur la pointe des pieds. Une fois dans le bureau, j'ai appelé Sami pour lui narrer les derniers événements. Il a réussi à me convaincre de tout raconter à la petite bande.

C'est ainsi que nous nous sommes retrouvés à 10 heures dans notre cave-cocon.

Brodequin est arrivé le dernier.

– Hello ! a-t-il lancé en entrant.

Manon, Sami et moi étions installés sur le canapé. Justine était dans le vieux fauteuil. Les quatre places étaient prises ! Brodequin a tiré de côté le coffre qui nous sert de table basse et s'est assis dessus en tailleur.

– Faudra dénicher un siège supplémentaire, maintenant que l'équipe passe à cinq, a-t-il déclaré.

– Un vrai petit club, s'est gaussée Justine.

Elle a regardé Sami avec ses yeux inquisiteurs et elle a ajouté en contrefaisant une voix de sorcière :

– De quel surnom vais-je t'affubler, Monsieur le prince charmant ?

– Prince Charmant, c'est pas mal, a gloussé ma chère sœur.

– Et si on se disait qu'on a passé l'âge des sur-
noms, maintenant... on pourrait les laisser tomber, ai-je tenté timidement.

En réalité, j'étais furieuse. Prince Charmant !
Ce surnom m'était insupportable. Je détestais
que Justine, Manon et Brodequin se mêlent de
mes histoires.

– Camille a raison. On a passé l'âge, non ?

Sami venait à mon secours et c'était délicieux.

Ce qu'il y avait entre nous ne pouvait suppor-
ter la moquerie, même affectueuse.

– Va pour Sami, a tranché Manon pour
Camomille et Brodequin, on peut essayer...

Mine de rien, cette décision nous faisait franchir un cap. La fin de nos années adolescentes
s'annonçait. Je l'avais pressenti un peu avant
Manon, Justine et Brodequin. Et à cet instant, cela
me rendait joyeuse. Mais je savais que les trois
autres avaient un petit pincement au cœur . Et ce
n'était pas seulement mes dons qui étaient à
l'œuvre. Non ! J'avais ressenti la même chose
quelques jours auparavant. Cependant, ma
magie me permettait de savoir que des trois,
Brodequin était le plus touché.

Justine accusait le coup. Mais il y avait chez elle le bonheur de se sentir grandir.

Manon était habitée par des sensations semblables. Même si en elle, la nostalgie prédominait. Elle prenait conscience que son lien à moi allait bouger à cause de la présence de Sami. Quelque chose se défaisait de notre enfance à deux, de cette relation privilégiée et forte qui nous avait unies. Elle se demandait si l'avenir réussirait à nous enlever ça.

C'était tellement proche de mes propres sentiments vis-à-vis d'elle que les larmes me sont venues aux yeux. J'avais envie de la serrer contre moi, de la rassurer, de lui souffler que nos liens étaient uniques et ne pouvaient être remplacés. Mais je n'étais sûre de rien et Sami a coupé court à nos émois en disant :

– Maintenant, passons aux choses sérieuses. Je crois que nous allons avoir du travail. Il ne faut pas perdre de temps. Camille, à toi la parole.

– Attends ! Prends ma place, a décidé Brodequin.

J'ai obtempéré à regret. J'étais bien, serrée entre Manon et Sami sur le canapé. Mais bon !

Je me suis assise sur le coffre et j'ai raconté le

détail des événements « égyptiens » depuis mon malaise au collège.

– Mince ! a sifflé Brodequin lorsque j'ai eu fini, j'avais lu un article dans *Le Progrès*, cet hiver, à propos de cette momie retrouvée dans les réserves du musée. Si j'avais su que c'était ta princesse !

– Le retour de l'aventure ! s'est réjouie Justine.

– Ça ne tombe pas vraiment bien, avec le brevet de Camomille et les examens de Sami, a répliqué Manon.

– Camille, ai-je rectifié.

– Ce n'est pas le moment, a claqué Justine, de toute façon, on va mettre un peu de temps pour s'habituer. Concrètement, ça donne quoi ?

– Je vais appeler Jean Mourguet et lui demander si nous pouvons voir la momie, ai-je informé.

– Jean Mourguet ? s'est enquis Sami.

– C'est le directeur du musée des Beaux-Arts. On a fait sa connaissance après quelques péripéties l'année dernière, a répondu Justine tout en jetant un coup d'œil amusé à Brodequin[1].

– Oh, ça va, a grognassé Brodequin.

---

1. Voir *Sacré scarabée sacré !* et *Le secret d'Akhénaton*, du même auteur.

– Il ne refusera pas de nous présenter Robert-Louis Ciblari. On est devenus copains... Camille te racontera les détails, a expliqué Manon.

Je suis allée téléphoner à Jean Mourguet. Comme prévu, il n'a fait aucune difficulté et s'est déclaré très heureux de voir qu'on s'intéressait toujours à l'Égypte. Il m'a donné rendez-vous pour le lendemain en début d'après-midi.

Je suis redescendue à la cave pour annoncer la bonne nouvelle aux autres.

– On fait quoi, en attendant ? a demandé Brodequin.

– Sami et Camo... Camille, vous révisez. Nous, nous irons à la piscine du Rhône, histoire de tuer le temps jusqu'à demain. Et que chacun ait en permanence son portable chargé sur lui. On ne sait jamais ! a décrété Justine.

Elle a toujours adoré l'aventure...

7

L'idée de Sami

Le lendemain, nous étions au musée à quatorze heures. Jean Mourguet nous attendait dans le hall d'accueil. Un sourire réjoui a éclairé son visage quand il nous a aperçus. Il s'est dirigé vers nous et nous a chaleureusement salués. Nous lui avons présenté Sami et il nous a demandé de le suivre.

– Robert-Louis Ciblari est notre nouveau directeur du département égyptien, a-t-il précisé alors que nous arrivions au premier étage.

Nous avions quitté la partie publique du musée.

– Le bureau de Robert-Louis est au fond de ce

couloir à droite, mais je vous emmène au laboratoire. Il y travaille, en ce moment.

Nous sommes montés d'un étage et nous nous sommes arrêtés devant une porte blindée.

– Le labo est sécurisé et bien verrouillé, a-t-il confié en tapant un code sur un petit boîtier qui tenait lieu de serrure.

La porte s'est ouverte et Jean Mourguet nous a fait signe d'entrer.

– Qu'est-ce que c'est ? a grogné la voix grave d'un homme dont la bouche était masquée à la manière des chirurgiens.

À côté de lui, deux autres hommes, portant le même masque, nous dévisageaient. L'un était grand et ses yeux noisette, étonnamment rapprochés, marquaient l'étonnement. L'autre, plus petit, ne réagissait pas à notre présence. Une sensation désagréable s'est emparée de moi. Et brusquement, j'ai réalisé que nous étions à l'endroit même où j'étais venue par l'esprit l'avant-veille. Était-ce l'origine du malaise que je ressentais ?

La momie était sur une table au milieu de la pièce.

– Ce sont les jeunes gens dont je vous ai parlé hier, a annoncé le directeur du musée.

L'égyptologue a ôté son masque.

– C'est vous qui vouliez voir une momie. Eh bien, voici une partie de mon équipe, a-t-il dit en désignant ses deux collègues d'un geste du bras.

– Je vous laisse entre spécialistes, a lancé Jean Mourguet, revenez quand vous voulez, vous êtes ici chez vous ! À bientôt !

– Je ne sais ce qui vous intéresse exactement, a repris Robert-Louis Ciblari.

– Surtout la voir, ai-je répondu en m'appliquant côté intonation, à la fois un peu naïve et curieuse.

– Vous pouvez approcher, a autorisé l'égyptologue.

Tandis que nous nous approchions, les deux hommes se sont reculés.

J'ai posé ma main sur la table, les yeux rivés sur la momie. Un bref vertige m'a secouée. Deux images fugitives ont traversé mes pensées.

L'eau du fleuve clapote sous l'étrave d'une felouque. Toutankhamon, le garçon chauve, rit à mes côtés... Images pleines de sérénité.

Puis, je suis revenue à la réalité. Il flottait dans ces lieux une animosité presque palpable. J'ai fait le tour de la pièce du regard et je me suis attardée sur les trois égyptologues. Il me semblait que l'un d'eux m'était hostile. Je n'ai pas eu le temps de vérifier mon intuition, Robert-Louis Ciblari nous a rejoints près de la momie et nous a fait un petit cours.

– Qu'est-ce que vous allez lui faire ? s'est enquis Sami.

– Vérifier son état de conservation et intervenir si besoin...

– Est-il exact qu'elle a été retrouvée dans une des réserves du musée ? a interrogé Justine.

– Oui... Nos musées recèlent parfois des trésors méconnus, s'est-il excusé. Nombre de pièces ont été rapportées des diverses expéditions anciennes en Égypte et dorment ainsi dans les réserves...

– Vous allez l'exposer ? a demandé Brodequin.

– Nous ne savons pas encore... Elle retournera peut-être en Égypte. Le musée du Caire en a fait la demande...

Robert-Louis Ciblari nous a raccompagnés jusqu'à la porte du labo.

– Si vous voulez repasser dans une semaine, nous en saurons plus sur cette personne royale.

– Royale ? a relevé Manon avec un air bécasse très réussi.

– Oui. À la manière dont l'embaumement a été fait et à certaines amulettes que nous avons commencé à trouver sur elle, nous savons qu'il s'agit d'une personne royale...

– Et ?

– Nous devrions l'identifier assez vite, a répondu Robert-Louis Ciblari content de lui. Nous espérons aussi qu'elle nous révélera quelques secrets sur sa lignée, a-t-il ajouté avant de nous saluer chaleureusement.

La porte s'est refermée derrière lui alors qu'il nous souriait amicalement.

– On revient cette nuit, ai-je chuchoté.

– Camille, m'a interpellée Manon en désignant la porte blindée, serrure à code, tu as vu ?

J'ai hoché la tête pour faire comprendre à Manon que j'avais repéré le boîtier et j'ai poussé un soupir d'impuissance.

– Pourtant, il faut qu'on revienne, ai-je insisté.

Sami s'est approché du boîtier. Il a posé la paume de sa main droite sur les touches.

– Dire qu'il suffirait de savoir le code ! a-t-il soupiré.

– Ne comptez pas trop sur moi, ai-je averti, je vous préviens que je n'ai pas récupéré les chiffres dans la mémoire de Ciblari.

– Peut-être que si, est venu souffler Sami à mon oreille, ne préjuge de rien. Tes talents sont grands et mystérieux.

– Il n'y a pas que le labo ! Comment comptes-tu entrer dans le musée ? a questionné Brodequin comme nous traversions la place des Terreaux.

– Je connais le moyen d'entrer dans le musée autrement que par la grande porte, a déclaré Sami.

– Oui ? a interrogé Justine dont les yeux s'étaient mis à briller d'intérêt.

– Ma mère était directrice des archives départementales. Un soir, elle m'avait rapporté le plan de Lyon, version sous-sol. Je l'ai toujours. Je vous propose d'aller chez moi. Vous verrez. Le musée est à notre portée. Il suffit de s'équiper un peu.

Intrigués, nous avons suivi Sami qui marchait devant d'un bon pas.

Nous avons passé le Rhône et pénétré dans un immeuble quai de Bondi. Au premier étage, nous sommes entrés dans un appartement immense qui donnait sur le Rhône. Le couloir d'entrée était grand comme ma chambre et notre salon réunis !

– Bonjour mes enfants, a fait une petite voix bienveillante.

Une jolie vieille dame, qui paraissait s'être matérialisée dans la lumière au sortir du contre-jour, s'est approchée de nous.

– Je vous présente ma grand-mère. Grami, je te présente Camille, Manon, Justine et Brodequin.

– Comme je suis heureuse que vous soyez tous les amis de mon petit-fils. Il a été si seul jusque-là ! a-t-elle dit en nous souriant.

– Oui... Euh... Je viens leur montrer les plans que maman m'avait donnés, tu sais ?

Sami nous a entraînés dans sa chambre. Là, il a ouvert un placard qui montait jusqu'au plafond. Il a grimpé sur une échelle de bibliothèque et il a attrapé un tube à plans qu'il est venu vider sur son lit.

– Voilà !

Il a étalé un plan sur toute la surface du lit.

– Regardez bien ! Là, le Rhône. Ici, la Saône. Là, la cathédrale Saint-Jean. Vous vous repérez ?

Il promenait son doigt sur les lieux qu'il nommait.

– Évidemment ! Ici, c'est chez nous, a noté Justine.

– Maintenant, regardez bien !

Sami a déroulé un autre plan sur du papier calque et l'a positionné minutieusement sur le premier.

– Le plan que je viens de rajouter est le plan du sous-sol de Lyon. En bleu, ce sont des canaux qui sillonnent la ville.

– Des canaux souterrains... en eau ? ai-je demandé.

– Oui, mais chaque canal est bordé d'un quai sur lequel un homme de taille moyenne tient debout. C'était le réseau d'eau de la ville autrefois. Il n'est plus en service, mais il est quasi intact. Ici, sous la place de la cathédrale Saint-Jean, il y a un grand réservoir.

– Je me souviens ! s'est écriée Justine, j'ai lu un article sur ce réservoir dans un numéro hors série du *Magazine des Lyonnais* spécial Lyon et son histoire ! Il a été découvert pendant les travaux du métro.

– Exact ! La ville de Lyon est truffée de ces canaux. Les tout premiers datent des Romains, a expliqué Sami.

– Donc, à Lyon, on peut trabouler aussi en sous-sol, s'est exclamée Justine que cette découverte rendait enthousiaste.

– Je trouve ça génial aussi ! a approuvé Manon, mais tu crois réellement qu'on va entrer dans le musée en passant par ces canaux ?

– On va essayer. Ma mère m'avait emmené les visiter, une fois... Regardez ici. Rue Tramassac, au 10.

– C'est chez nous !

– Oui, il y a un canal dessous. Et dans votre cour, il y a un puits.

– Tu veux dire que...

– Oui. Les puits étaient desservis par le réseau souterrain. S'il y a un puits, il y a une porte dans le sous-sol de votre immeuble, qui donne accès au canal en dessous.

– Une des portes ouvrirait sur un escalier souterrain et pas sur une cave ?

– Très probablement. Et regardez, là, ce canal passe sous le musée.

– Et il y a un puits dans le jardin du musée ! me suis-je écriée.

– Donc une entrée dans le sous-sol du musée, a conclu Manon.

– Trop-gé-nial ! a ponctué Justine en traînant sur chacune des syllabes comme si elle les dégustait.

– On emporte les deux plans ainsi superposés et... a commencé Sami.

– ... avec une bonne lampe ce sera un jeu d'enfant ! a terminé Justine.

– Mouais. Blousons chauds et bottes, sans oublier un petit sac d'en-cas, a ajouté Brodequin en petite nounou attentionnée.

– Si on veut être sous le musée à minuit, rendez-vous à onze heures ce soir, dans votre cave, a proposé Sami au moment où sa grand-mère frappait à la porte de sa chambre.

– Excusez-moi... Sami, ton grand-père et moi, nous voudrions vous convier à goûter.

Elle s'est tournée vers nous.

– Un bon chocolat chaud et un gâteau grand-mère, il n'y a pas d'âge pour se laisser tenter, n'est-ce pas ?

8

Les noctambules souterrains

En fin d'après-midi, Manon et moi sommes allées faire du repérage dans le couloir des caves de notre immeuble.

Une des portes était différente. Elle n'était pas ajourée en haut et en bas comme les autres. Et elle était fermée, non par un cadenas, mais par une serrure. Nous ne nous étions jamais demandé ce qu'il pouvait y avoir derrière.

– C'est la porte du souterrain, a conclu Manon péremptoire avant de m'entraîner chez la concierge, madame Douplat, qui a cru que nous venions réellement lui souhaiter un bon été.

Pendant que je détournais son attention en papotant avec elle, Manon a fouiné dans son placard à clés et a déniché son trousseau à tout ouvrir.

Course jusque chez le serrurier. Arguments en béton et catastrophés pour lui faire fabriquer immédiatement un double de toutes les clés.

Retour chez madame Douplat pour lui dire qu'il n'y aurait pas besoin de faire suivre le courrier cette année, car il n'y aurait pas de vacances pour nous. Hélas et gros soupirs. Manon a profité de cette seconde diversion pour replacer le trousseau de clés.

À vingt-trois heures, nous étions tous fin prêts, équipés comme pour une expédition de spéléologie.

À vingt-trois heures cinq, nous étions dans l'escalier qui descendait, descendait, descendait... pour déboucher sur un quai souterrain, espace plus vaste et plus confortable que je ne l'avais imaginé.

Devant nous, se trouvait un canal. Le silence, l'eau dormante et une odeur de pierre humide rendaient l'atmosphère lugubre.

– Par là, a lancé Sami en m'attrapant la main.

Nous avons longé le canal qui sommeillait à nos côtés. Parfois, une arrivée de puits ou une porte grossièrement murée tentait de distraire la monotonie de notre promenade. Je me cramponnais à Sami. Il me semblait que l'eau ne dormait que d'un œil.

Bientôt, nous sommes arrivés dans une salle immense dont le plafond évoquait une basilique. On aurait dit une espèce de piscine géante, dans laquelle se jetaient d'autres canaux, semblables à celui que nous venions de suivre. On pouvait faire entièrement le tour de ce bassin géant, car au-dessus de chaque canal étaient construits des ponts permettant de passer d'une rive à l'autre. Deux ponts étaient encore d'époque. Les autres avaient été remplacés par des poutrelles métalliques.

– Le réservoir, a murmuré Sami en s'arrêtant.

– Les canaux repartent dans toutes les directions. Lequel doit-on prendre ?

– Celui qui est en face, a annoncé Sami après avoir consulté son double plan.

De nouveau, le silence lugubre seulement troublé par nos pas le long d'un canal plus large que le précédent, puis l'arrivée sous le

69

musée. Une barque se trouvait là, attachée à un anneau.

– C'est quoi cette barque ? s'est alarmé Brodequin.

– Tu crois que celui ou celle qui a amarré cette embarcation est... là-haut ? m'a demandé Justine.

– Je ne crois jamais rien, ai-je répondu un peu énervée d'être celle qui devait toujours tout savoir.

– On fait quoi ?

– On y va, ont tranché Sami et Manon dans un même élan. Et Sami a ajouté :

– Et vite ! Il faut éviter d'être surpris, il n'y a pas d'endroit pour se cacher.

– Oui, ne moisissons pas ici, a approuvé Brodequin.

– Surtout qu'avec cette humidité, ce serait vite fait, a trouvé bon de préciser Justine.

– Passe devant, Sami, a suggéré Brodequin.

Un escalier circulaire menait au musée. Nous sommes montés lentement. Je sentais le pendentif de Néfertiti à mon cou. J'ai sorti l'amulette et l'ai serrée dans ma main. Sami était devant moi. Ensuite venaient Manon et Justine. Brodequin fermait la marche.

Nous sommes arrivés sur une petite plate-forme, devant la porte qui devait conduire au sous-sol du musée. Sami l'a ouverte doucement.

– C'est incroyable qu'elle ne soit pas fermée, a réalisé Manon.

– Je suis revenu au musée pour la déverrouiller en fin d'après-midi, a informé Sami.

Nous avons emprunté le grand escalier en pierre. Direction, le deuxième étage.

Devant la porte du laboratoire, Sami s'est effacé pour me laisser accéder à la serrure. Ils allaient être déçus. J'ai fait signe à Sami que je ne pouvais rien faire. Il a soufflé :

– Essaye quand même...

Je me suis approchée du boîtier. J'ai regardé les touches devant moi. Rien. Je n'ai pas eu le temps de me retourner pour leur dire de trouver un autre moyen d'ouvrir, Sami a posé sa main sur mon épaule et m'a susurré :

– Détends-toi et essaye de nouveau.

Sa pression sur mon épaule s'est faite plus ferme.

Cinq chiffres se sont imposés à moi et se sont mis à tourner en boucle dans ma tête. Je les ai composés sur le clavier. Un petit bruit sec du côté de la porte a suivi. Brodequin a levé le pouce. Je lui ai répondu par une grimace. Ça m'énervait cette confiance absolue qu'ils avaient tous en moi. Comment leur dire que je n'étais pour rien dans l'ouverture de la porte ? J'avais appuyé sur les touches guidée par une volonté étrangère qui n'était pas celle de Moufida. Cette volonté, je ne l'avais pas refusée et cela m'inquiétait. Je pensais à Mariam qui s'était laissée manipuler par le grand prêtre d'Amon. Est-ce qu'un danger similaire me guettait ? Ce qui m'inquiétait le plus était que cette volonté me semblait avoir été celle de Sami. Je tentais de repousser cette idée. Mais le doute était là.

Le laboratoire était faiblement éclairé par les veilleuses de secours. Lumière bleutée. Nous avons avancé jusqu'à la table centrale. Elle était vide.

– Ben... La momie ? Elle est où ? a demandé Brodequin.

– Ils ont dû la ranger, a répondu Justine.

– Ça m'étonnerait qu'ils la déplacent chaque jour, elle est trop fragile, a objecté Sami.

– Tu penses que quelqu'un a pu l'enlever ? a interrogé Brodequin. Mais qui peut s'intéresser à cette momie à part votre égyptologue et nous ?

– À priori, personne, a accordé Manon.

– On essaie de voir si elle n'est pas quelque part dans le coin ? a proposé Justine.

Je les ai regardés ouvrir les placards, passer dans la pièce contiguë au labo et je me suis assise sur un petit banc qui se trouvait au pied de la table. Ma tête était lourde. Je l'ai appuyée sur l'énorme bloc de métal qui formait le pied de la table et j'ai fermé les yeux.

... D'abord cette mélodie. D'une tristesse désolante. Je suis debout, adossée à une forme ronde et froide. Les larmes roulent sur mes joues. Je suis submergée par le chagrin. À travers mes larmes, je distingue des gens dans la pénombre. Lentement, ils s'écartent et laissent passer une femme. Je ne l'ai jamais vue, cependant elle m'est familière.

– Pharaon te demande, ô ma Reine ! Ne le fais pas attendre, il est si faible.

Elle m'attrape le coude et m'aide à me déplacer.

– Sois courageuse. Ton affliction le ferait souffrir plus encore.

Je m'avance vers un lit sur lequel gît Toutankhamon. Son visage est défait par la douleur. Je pose ma main sur sa main et retiens mes larmes. Je parviens à lui sourire et me penche pour poser mes lèvres sur les siennes.

– Ankhesenpaaton, la mort m'attend. Elle est là...

Aucun mot ne réussit à sortir de ma bouche. Ils sont prisonniers dans ma gorge serrée.

– Tous, nous devons protéger le culte d'Aton et la sépulture d'Akhénaton, le Grand Initié... Toi aussi, avec elles... Promets-moi de continuer, murmure Toutankhamon dans un râle.

– Je te le promets...

Je me penche de nouveau sur le jeune roi.

– Ankhesenpaaton...

Je comprends qu'il veut être entendu de moi seule. J'approche mon oreille de sa bouche.

– Prends le papyrus sacré dans ma tunique... Tu en seras la gardienne... Ne t'en sépare jamais et lègue-le à la personne que tu en jugeras digne... ou bien qu'il disparaisse avec toi...

J'ai ouvert les yeux sur Sami qui était accroupi en face de moi et qui avait posé ses mains sur mes genoux. Je lui ai souri et je me suis penchée pour poser ma tête contre son épaule.

– Ça va, Camille ? a interrogé Manon.

– Ça va... La momie a été dérobée.

– Ah ! Si Petite Fleur du matin confirme qu'elle a été enlevée...

– Pas enlevée... Dérobée...

– On ne va pas pinailler sur les mots !

– Dérobée, ai-je insisté, pas enlevée.

– C'est bon ! s'est agacée Justine, on fait quoi, maintenant ?

– On rentre, a décidé Manon.

Nous sommes redescendus jusqu'au quai.

– Plus de barque, a remarqué Manon qui ouvrait la marche.

– Donc quelqu'un était dans le musée quand nous y sommes entrés et en est parti pendant que nous y étions, a conclu Justine.

– À cause de nous ?

– Possible, a admis Sami.

– Mouais... C'est pas un malin. Il gare sa barque devant le musée et n'importe qui sait qu'il est là...

– Tu t'endors, Brodequin, a rigolé Justine. Il n'y a pas beaucoup de monde qui fréquente ce circuit. Le quelqu'un en question peut à bon droit croire qu'il n'aura pas de concurrence.

– Ce qui n'est pas sot, a accordé Brodequin, allons-y avant que je sois complètement endormi.

9

Frayeur souterraine

Sami ouvrait la marche du retour. Je me tenais derrière lui. Les rais de lumière de nos lampes se balançaient au rythme de notre marche, faisant apparaître par intermittence le sol délabré du quai et l'eau du canal au devant de nous.

Soudain, une image s'est imposée à moi. Je nous voyais emprunter et remonter le prochain canal que nous allions croiser. J'ai tapé sur l'épaule de Sami pour l'obliger à s'arrêter et je suis passée devant.

– Suivez-moi !

Derrière moi, j'ai entendu Brodequin chuchoter : « On ne discute pas les ordres de Petite Fleur du matin. »

– Je t'entends, Anthonin.

– Je m'en doute, mais je te suis.

– NOUS te suivons, a renchéri Justine, tu sais où tu nous conduis au moins ?

– Non, mais il faut y aller. Et maintenant, plus un mot. Silence total !

Nous remontions un canal assez semblable à ceux que nous avions déjà empruntés. La main dans ma poche, je serrais l'amulette de Moufida et je me rassurais en pensant que j'avais mon pendentif autour du cou. Rien n'aurait pu me faire faire demi-tour. Pas même ma peur. Qu'est-ce qui me poussait dans cette direction ?

– Je te dis que si, Brodequin ! a soudain sifflé Justine derrière moi.

Je me suis retournée vivement. Je me suis rapprochée et j'ai soufflé :

– Mais taisez-vous !

– On remonte un canal qui va en direction de Perrache. On vient de passer sous Bellecour, n'a pu s'empêcher de dire Justine qui avait suivi notre route sur la double carte de Sami.

— Je lui dis que non, a rétorqué Brodequin, sous Bellecour, il y a un parking !

— Ne chipote pas ! On longe la place Bellecour de toute façon. Regarde !

Ils se disputaient à voix chuchotée. On les entendait à peine. Mais je sentais une présence. On nous surveillait. Je me souvenais des paroles de Moufida à propos de cette grande puissance mentale non loin de moi et ma peur se transformait en frayeur. Mais une force inflexible m'incitait à avancer.

J'ai imploré dans un souffle de voix :

— Taisez-vous. Il y a un danger, pas loin. S'il vous plaît...

Ils m'ont regardée et ils se sont tus. Je leur ai fait signe de se remettre en marche et je suis repartie. Je marchais de plus en plus lentement, en proie à cette hostilité que j'avais déjà éprouvée dans le laboratoire. Quelque chose allait arriver. Mais quoi ? J'avais beau essayer de laisser venir les images en moi, je ne voyais rien.

— Camille ! a gémi Justine dans un râle.

Je me suis retournée et je l'ai fusillée du regard tout en braquant ma lampe sur son visage. Elle était décomposée. Je ne l'avais jamais vue comme ça. Justine, c'est toujours la plus téméraire de nous tous !

– Quoi ? ai-je articulé sans émettre de son.

– Camille, l'eau monte, a-t-elle pleurniché.

J'ai regardé le canal. L'eau était bien sagement en train de croupir. Son niveau n'avait pas changé, il était toujours légèrement plus bas que le bord du quai. J'ai fait un signe d'incompréhension et de dénégation à Justine.

– Si, Camille, l'eau monte, a confirmé Sami.

– C'est vrai, a appuyé Manon tandis que Brodequin hochait la tête.

– Mais non, ai-je affirmé.

– De plus en plus vite, a paniqué Justine, regarde, on a les pieds dedans maintenant.

– Mais... ai-je commencé.

– La cheville, même ! s'est écriée Manon. Si ça continue comme ça, dans moins de dix minutes, on est noyés. Faut se tirer de là, vite !

Je l'ai retenue par la manche juste à temps, elle décampait déjà.

– Mais non ! L'eau ne monte pas ! Elle est toujours au même niveau dans le canal.

– Regardez ! Elle ruisselle le long des murs, aussi. C'est une inondation ! a hurlé Brodequin.

– Tu ne vois rien ? s'est étonné Sami qui était le moins paniqué des quatre.

– Non ! Je vous jure ! Il n'y a rien, ai-je dit.

– Si Camille ne voit rien, tant pis ! Moi, je crois ce que je vois, a crié Justine. Et je vois que j'ai de l'eau jusqu'aux genoux. J'ai peur. Excuse-moi, mais j'exige que nous repartions au plus vite dans l'autre sens pour retrouver le canal qui nous ramène chez nous.

« Je crois ce que je vois », avait dit Justine. Cette phrase m'avait percutée. Et soudain, j'ai compris. Ils subissaient une hallucination collective. Moufida avait utilisé ce genre d'envoûtement pour empêcher que les profanes ne voient le tombeau d'Akhénaton l'été dernier[1]. Seules Moufida, Mariam et moi avions pu voir la réalité. Les autres n'avaient vu qu'une grande salle vide. Et là, il se produisait la même chose. Protégée par mes dons, je voyais la réalité. Mais pour Sami, Manon, Justine et Brodequin, l'eau inondait le boyau souterrain.

Nous devions être tout près du but.

– Il n'y a rien, ai-je dit fermement, vous êtes

1. Voir *Sacré scarabée sacré !* et *Le secret d'Akhénaton*, du même auteur.

victimes d'une hallucination. Quelqu'un a jeté un sort, vous l'avez reçu, mais pas moi. Il faut me croire. Nous devons avancer encore un peu. Nous y sommes presque.

Ils me regardaient tous les quatre en reculant lentement. Leur silence était plus terrible que leurs cris. Je savais qu'aucun des quatre n'avancerait plus.

– Ne bougez pas. Laissez-moi quelques minutes.

J'ai avancé de quelques mètres seulement et le hurlement de Manon m'a arrêtée net.

– Camille ! Le serpent ! Sauve-toi !

Devant moi, côté paroi, il y avait une porte fermée et, côté canal, une barque était posée sur l'eau immobile. Rien d'autre. La barque était celle que nous avions vue devant le musée.

– C'est bon, ai-je dit, on peut repartir.

– On court, a supplié Justine.

– Avec l'eau jusqu'à la taille ! a marmonné Brodequin.

Ils avançaient en titubant, s'aidant de leurs mains. Je les voyais ramer dans le vide. Je les suivais sans rien dire. On aurait dit des canards obèses coursés par un renard. J'aurais volontiers ri si j'avais été certaine que personne ne nous pour-suive. Je me retournais sans cesse, mais ne voyais rien. Pourtant, je percevais un regard sur nous.

Au bout de quelques dizaines de mètres, Justine a poussé un soupir de soulagement, l'eau avait amorcé sa décrue et n'atteignait plus que le haut de leurs mollets. Je l'avais deviné, car, de canards, ils étaient passés à crapauds, jetant les genoux à droite et à gauche pour continuer à avancer.

Enfin, dans le sillon de lumière de nos lampes est apparu le canal que nous avions quitté quelque temps auparavant. L'eau devait mainte-nant avoir regagné son lit, car Justine, Manon et Brodequin se sont mis à courir comme des lapins. Sami est resté avec moi et nous avons poursuivi en marchant.

– Tu sais ce qui s'est passé, Camille ?

Je lui ai de nouveau raconté les péripéties de notre été égyptien et je lui ai confié mon hypo-thèse sur le phénomène dont ils avaient été les victimes.

– Tu as raison. Je devrais être mouillé et je ne le suis pas... Mais comment cela a-t-il pu être pos-sible ? Nous sommes à des milliers de kilomètres de l'Égypte. Et ce n'est tout de même pas la momie...

– Je ne sais pas.

– Elle était là, tu crois ?

– Je n'en sais rien, ai-je répété, en tout cas, quelque chose nous a empêchés de continuer.

– Nous, mais pas toi...

– C'est vrai... Peut-être dois-je être seule pour chercher le papyrus...

Les trois autres nous attendaient. Assis par terre, ils récupéraient.

– Tu avais raison Camo... Camille, a reconnu Justine, nous ne sommes même pas mouillés !

– La prochaine fois, on essaiera de te faire complètement confiance, Petite Fleur du matin, s'est excusé Brodequin, mais avoue que ce n'est pas évident !

Il a posé un baiser sur ma joue.

– Excuse-nous, hein... Mais... a bafouillé Manon.

Je l'ai arrêtée d'un geste de la main et je les ai entraînés.

– Oh oui ! Un bon lit chaud, a approuvé Brodequin.

La nuit a fini de passer sans que je réussisse à

trouver le sommeil. Trop de pensées se bousculaient et nourrissaient mes angoisses. Il me fallait retrouver le lieu où se trouvait la momie et récupérer le papyrus. Tout cela me paraissait impossible à mener à bien. Et pourtant, je devais le faire. Au petit matin, j'ai fini par sombrer.

... La momie est sur la table, dans le laboratoire. Un homme masqué travaille dessus. Soudain, il s'arrête et relève la tête. Il va jusqu'à la porte, l'ouvre, la bloque pour qu'elle ne se referme pas derrière lui. Il se tient un instant penché au-dessus de la rambarde de l'escalier. Des voix, en bas. L'homme revient, referme la porte et reprend sa place près de la momie. Il étend ses bras en croix et tourne la paume de ses mains vers le plafond. Un petit bruit sec du côté de la porte. Manon, Justine Brodequin, Sami et moi entrons. Nous avançons jusqu'à la table centrale sur laquelle repose la momie. L'homme est toujours là, bras en croix, absolument immobile.

– Ben... La momie ? Elle est où ? s'enquiert Brodequin.

– Ils ont dû la ranger, répond Justine.

– Ça m'étonnerait qu'ils la déplacent chaque jour, elle est trop fragile, objecte Sami.

– Tu penses que quelqu'un a pu l'enlever ? interroge Brodequin. Mais qui peut s'intéresser à cette momie à part votre égyptologue et nous ?

– À priori, personne, accorde Manon.

– On essaie de voir si elle n'est pas quelque part dans le coin ? propose Justine.

L'homme ne bouge pas. Il reste figé, les bras toujours en croix.

Je me vois regardant Sami et les autres ouvrir les placards puis se diriger vers la pièce contiguë au labo. Je me vois m'asseoir sur un petit banc, appuyer ma tête sur le bloc qui soutient la table et fermer les yeux.

Soudain, Sami m'aperçoit. Il s'approche de moi. Son visage est inquiet. Il pose sa main sur mon cou et son oreille sur ma poitrine. Il se recule, une mimique de soulagement traverse son visage.

Il reste devant moi. Les autres nous ont vus, ils se rapprochent. Sami leur fait signe de ne pas faire de bruit et pose ses mains sur mes genoux.

À ce moment, l'homme tourne sur lui-même et passe avec lenteur ses mains au-dessus de la momie. Puis, il se dirige vers la porte en évitant soigneusement de passer trop près de l'un de nous. Et il sort.

Je me vois ouvrir les yeux, sourire et poser ma tête contre l'épaule de Sami.

– Ça va, Camille ? interroge Manon.

– Ça va... La momie a été dérobée.

– Ah ! Petite Fleur du matin confirme qu'elle a été enlevée...

– Pas enlevée... Dérobée...

– On ne va pas pinailler sur les mots !

J'insiste :

– Dérobée, pas enlevée.

– C'est bon ! s'agace Justine, on fait quoi maintenant ?

– On rentre, décide Manon...

Je me suis éveillée et dans cet état de demi-conscience dans lequel laissent parfois les rêves, j'ai attrapé l'amulette de Moufida et je me suis rendormie.

– Qu'est-ce qui te tourmente ? demande la voix chaude de la Grande Prêtresse d'Aton.

Je relate les derniers événements et le contenu de mon rêve.

– Il s'agit de la réalité telle qu'elle était lors de votre visite au laboratoire, affirme-t-elle.

– La momie était là ! Je ne la voyais pas mais je la sentais : c'est pour ça que j'ai dit « dérobée » !

Elle avait seulement été dérobée à notre vue...
Mais pourquoi n'ai-je pas vu la réalité ?

– Tu n'acceptes pas encore toutes tes perceptions profondes.

– Dans le souterrain, je les ai acceptées... C'est pour cela que je n'ai pas subi l'enchantement.

– Oui... Tes facultés grandissent lorsque tu les acceptes et que tu les utilises... Continue... Tu vas en avoir besoin. Il y a quelqu'un de puissant en face de toi.

– Qui est-il ?

– Je ne le sais pas de manière certaine...

– Tu m'as parlé d'une vieille âme...

– Oui, je la sens de plus en plus proche de toi, mais quelque chose est brouillé... C'est toi qui sauras... Dans le souterrain, tu pouvais ouvrir les yeux de ta sœur et de tes amis.

– Pour les ramener à la réalité ?

– Oui, bien sûr. N'oublie pas que ta magie est immense. Utilise-la !

– Il y a autre chose, Moufida.

– Oui ?

– J'ai vu Toutankhamon confier le papyrus sacré à Ankhesenpaaton...

Je lui raconte la scène en détail.

– Il est plus que probable que ce soit le papyrus auquel je pense. Elle aurait donc bien été inhumée avec. Cela confirme ce que nous avons toujours cru. Le moment est venu de le récupérer.

Elle s'estompe déjà et j'ai encore des questions à lui poser.

– Moufida !

– Ne laisse pas tes craintes amoindrir ce que tu es, confie-t-elle encore avant de disparaître...

Je me suis réveillée tard. Manon avait déjà rejoint les autres dans notre cave. J'ai attrapé un paquet de Pépito et je suis descendue les retrouver.

– J'ai du nouveau, ai-je annoncé en m'asseyant.

Après avoir entendu mon récit, Justine a décrété :

– On retourne au musée, cette nuit.

– Tu es sûre ? a insisté Brodequin pour qui la chose la plus importante au monde après manger est... dormir.

– Évidemment ! a appuyé Manon.

– On risque de retrouver le type, a objecté Brodequin.

– Camille le saura cette fois et elle pourra réagir. Pas vrai ?

J'ai hésité quelques secondes. Avoir confiance en moi, avait conseillé Moufida.

— Je vais essayer, ai-je soupiré.

— Plan de bataille ? a enchaîné Justine comme si la décision que je venais de prendre n'était rien.

Bien sûr, pour elle, tout était simple ! J'ai ouvert la bouche pour lui faire part de mon agacement et je me suis ravisée. Elle ne comprendrait pas de toute façon.

— Ce que vit Camille en ce moment n'est pas facile, est intervenu Sami. Le moins qu'on puisse faire pour l'aider est de le comprendre et de ne pas la brusquer.

Une fois encore, Sami venait de parler à ma place. Je ne croyais plus à une coïncidence.

— Que penses-tu pouvoir faire, exactement ? m'a-t-il demandé.

— Le figer pour qu'il ne nous embête pas, ai-je répondu en tâchant de ne pas montrer mon trouble.

— Ensuite, on fouille la momie ? a questionné Justine.

— Si leur travail a avancé et nous le permet, ai-je précisé, sinon on n'aura pas le temps.

— On prévoit de l'emporter ? a risqué Manon.

– Je ne vois pas d'autres solutions, ai-je admis.

– On n'y arrivera jamais ! Tu te rends compte ? Transporter une momie depuis le musée jusque chez nous, par les souterrains. C'est de la folie ! s'est écrié Brodequin.

– Sauf si on la transporte sur un matelas pneumatique, a rétorqué Justine.

– On l'attache pour qu'elle ne glisse pas et on la tire depuis le quai, a approuvé Sami.

– Jouable, a accordé Manon.

– Qui est d'accord avec ce plan ? a interrogé Justine.

Nous avons voté à main levée. Le « plan » convenait à chacun.

– Je mettrai le matelas dans mon sac, a conclu Brodequin, on le gonflera sur place si on en a besoin.

10

Affrontement

– **Et nous revoilà** dans les bas-fonds de Lyon, a râlé Brodequin pour la forme tout en déboulant sur le quai situé sous notre immeuble.

– Comme prévu, la barque est là. L'ennemi est dans la place, a noté Manon alors que nous arrivions devant le musée, seulement cette fois Camille a tous les atouts de son côté.

Elle m'a regardée et, d'un geste tendre, a posé sa main sur mon épaule :

– Ça va aller Camille, tu es sûre ? Tu peux encore renoncer, on comprendrait.

J'ai touché le pendentif de Néfertiti que j'avais au cou, j'ai serré mon amulette, j'ai inspiré un grand coup avant de répondre :

– Moufida m'a dit d'arrêter d'avoir peur. Donc, on y va !

– Courageuse petite bonne femme, a déclaré Justine derrière moi.

Le ton était un peu moqueur, mais je savais qu'elle le pensait. J'ai apprécié.

– On peut y aller. Camille, tu es prête ? a interrogé Sami au moment d'ouvrir la porte du sous-sol du musée.

J'ai plissé les yeux. Il m'a fait signe de passer devant.

– Dire qu'il y en a qui dorment la nuit ! a ronchonné Brodequin alors que je tapais le code d'entrée de la porte du laboratoire.

J'ai eu l'impression de pénétrer dans mon rêve. L'homme était là, avec les bras en croix.

– Demeure ainsi ! ai-je lancé en brandissant l'amulette de Moufida.

– Il est là ? a soufflé Justine presque incrédule dans mon dos.

– Vous allez le voir, lui ai-je répondu. D'abord toi, Sami.

Je me suis approchée de lui. J'ai posé ma main droite sur son œil gauche et ma main gauche sur son œil droit.

– Désormais, tu vois la réalité, ai-je dit.

Je me suis approchée de Brodequin et j'ai recommencé.

– J'ai du mal à le croire, a avoué Manon en découvrant la momie et le type figé comme une statue de sel.

– On lui enlève son masque pour voir si on le connaît, a proposé Justine.

J'ai eu juste le temps de l'attraper par le bras pour l'arrêter.

– Ne le touchez pas ! Si l'un de vous le touche, il sortira immédiatement de sa léthargie.

– Toi, tu peux ?

– Oui, mais...

– On est là pour le papyrus ! a coupé Sami d'un ton sévère, ne perdons pas de temps !

Une fraction de seconde l'idée qu'il ne tenait pas à ce que nous découvrions le visage de l'homme m'a traversée, mais déjà les autres s'étaient rapprochés de la momie et m'appelaient :

– À ton avis, Camille... On a une chance de trouver le papyrus tout de suite ?

– Je ne crois pas. Il y a encore trop de bandelettes. Mais on peut essayer.

– Est-ce que tu sais où il se trouve ?

– Si vous me donnez un peu de temps, je peux essayer de le savoir.

– Vas-y, on ne te perturbera pas, a assuré Sami en tirant les trois autres en arrière.

J'ai posé ma main sur le ventre de la momie et j'ai fermé les yeux.

Il y a eu un court instant où je n'ai rien ressenti et où rien n'a semblé se passer. Puis...

Une immense fatigue me terrasse. Je suis allongée. Autour de moi des femmes murmurent. Leurs déplacements sont lents et fluides. L'une d'elles se penche vers moi et éponge mon front avec délicatesse. Le peu de force qui me reste m'abandonne. C'est comme si je m'évanouissais à moi-même. Et soudain, la voix de Moufida entre en moi, faible d'abord, et de plus en plus forte et impérieuse.

– Je t'ai envoyée naguère voyager dans l'espace et le temps. Tu es liée à Ankhesenpaaton car tu as vu à travers elle. Maintenant, le moment est venu pour toi de te séparer d'elle définitivement.

Sa voix chante une mélodie douce et envahissante à laquelle je ne peux résister.

– Tu vas de nouveau toucher l'ampleur du monde... Tu vas traverser son immensité au-delà du temps et de l'espace… Ankhesenpaaton quitte la vie. Pas toi… Tu dois abandonner pour toujours le corps d'Ankhesenpaaton et suivre ma voix… Tu le dois !

Ma vue se brouille. Les murmures s'effacent. Mes forces reviennent.

– Accepte de l'abandonner à sa mort, ordonne encore Moufida et sa voix devient terrible, quitte-la à jamais !

Tout est noir. Un instant, je me sens flotter dans l'éther. Puis, la voix reprend sa mélopée :

– Tu es l'ampleur du monde. Accepte son immensité… Reviens dans le poids de ton corps. Ne laisse rien de toi dans ce passé…

Mon corps se reconstitue. Je discerne ma main sur le ventre de la momie. Et c'est comme un éclair. Je sais où se trouve le papyrus. Dans le même temps, une détresse m'envahit. Peu à peu, je comprends qu'il s'agit de Sami. C'est comme si son esprit entrait dans le mien pour me hurler sa douleur. Et brusquement, je réalise ce qui se passe…

J'ai ouvert les yeux et je me suis retournée. Sami, Manon, Justine et Brodequin étaient recroquevillés sur le sol, leurs visages déformés par la douleur.

L'homme avait réussi à libérer ses yeux qu'il tenait fixés sur eux.

– Moufida ! ai-je hurlé, prise de panique.

– Ne crie pas, je suis avec toi, a répondu la voix presque amusée de Moufida.

– Comment puis-je les délivrer de l'envoûtement ?

– Contrains-le, il est encore suffisamment à ta merci.

– Désenvoûte-les, ai-je ordonné en pointant mon amulette vers l'homme.

Aussitôt, Sami, Manon, Justine et Brodequin se sont relevés.

– La momie, vite ! a enjoint Manon.

– Non ! Regarde, l'homme bouge les bras ! ai-je crié submergée par la peur et incapable d'utiliser ma magie malgré la voix de Moufida qui tentait de me guider, il faut partir, vite !

Nous avons dévalé les escaliers jusqu'au quai et nous avons foncé sans nous arrêter jusque chez nous. Une fois la porte de notre cave refermée à double tour, nous nous sommes laissés choir sur les sièges, épuisés.

Nous sommes restés un long moment sans parler.

J'étais encore sous l'emprise de la peur. Je tenais l'amulette de Moufida dans ma main fermée, mes doigts crispés dessus. Je me serrais contre Sami. Je maudissais ce don qui m'obligeait à être en première ligne. Récupérer le papyrus ! Pour Moufida, il suffisait de le dire pour que cela soit chose acquise. J'étais prise dans des filets dont je ne pouvais pas sortir. Tant que j'étais la mémoire de Mariam et que mes pouvoirs étaient nourris des siens, je n'étais pas libre de dire stop. Oh ! Comme j'aurais voulu le dire ce « stop ». « Stop ! J'arrête ! Cherche quelqu'un d'autre, Moufida. Je ne suis pas à la hauteur. L'angoisse me ronge et je ne peux plus avancer. »

Le seul fait d'évoquer cette possibilité m'apaisait. Pourtant, je savais la chose impossible. Il fallait faire face. Mais je me jurai d'exiger de Moufida qu'elle me retire toute cette magie lorsqu'on en aurait terminé avec cette histoire.

– Ça va aller. On est tous là et je ne te lâcherai pas d'une semelle, a glissé Sami dans mon oreille.

Comme je le regardais sidérée et un brin mécontente, il a ajouté avec un air bizarre :

– Ensemble, nous pouvons beaucoup. Je le sens...

Il était si étrange. Je ne savais plus que penser le concernant. Parfois, le doute me saisissait et suscitait de la méfiance à son endroit, mais tout était aussitôt balayé par la certitude que j'avais de n'avoir rien à craindre de lui.

11

Le vol de la momie

Le lendemain matin, je me suis réveillée la dernière. Manon était de bonne humeur. Elle venait de se lever et avait préparé un chocolat chaud. Nous avons déjeuné et nous nous sommes affalées devant la télé pour regarder les infos régionales. Cela nous arrive assez souvent pendant les vacances depuis quelque temps. Le dernier titre du résumé des nouvelles nous a convaincues que nous avions bien fait de céder à notre petite habitude lyonnaiso-lyonnaise. La nouvelle est tombée en début de journal :

– Vol d'une momie égyptienne au musée des Beaux-Arts.

– Non ! C'est pas... a lancé Manon tandis que je lui faisais signe de se taire.

Un reportage sur l'affaire a confirmé nos craintes. Il s'agissait d'une momie en cours de restauration. Le vol avait eu lieu dans la nuit. Le voleur devait connaître le musée, il s'était débrouillé pour ne pas déclencher l'alarme. Aucune trace d'effraction. Robert-Louis Ciblari était interviewé. Il avait l'air sous le choc. La caméra a élargi le plan et nous avons vu ses collaborateurs. Sans masque, cette fois. J'ai poussé un cri de stupéfaction.

– Camille, ça va ? Qu'est-ce qui se passe ?

Au même moment, la sonnette de la porte d'entrée a retenti. Je me suis mise à trembler comme une feuille. Sans échanger un seul mot, nous nous sommes approchées de la porte à pas de velours et Manon a collé son œil sur le mouchard.

– Eh, les filles, vous êtes là ? C'est nous ! Que se passe-t-il ? s'est écriée la voix de Brodequin derrière la porte au moment où Manon m'adressait une mimique de soulagement.

– Entrez, vite !

– Tu m'as fichu une de ces trouilles ! s'est

exclamée Manon en verrouillant la porte à double tour derrière eux.

– Qu'est-ce qui vous arrive, vous avez de ces têtes ? s'est alarmée Justine.

– Vous savez qui c'est qu'on a vu à l'instant, à la télé et à Lyon ?

– Pas terrible ta phrase, Camille, a pouffé Brodequin, arrange-toi pour faire mieux au brevet.

– Arrête Brodequin, c'est pas le moment ! l'a tancé Justine, tu vois bien qu'elle est bouleversée !

– Alors ? m'a pressée Sami.

– Le Grand Prêtre d'Amon Rê ! me suis-je écriée.

– Tu l'as vu à la télé ? a compris Justine.

– À l'instant.

– Mais pas du tout ! a objecté Manon, il n'y avait que Robert-Louis Ciblari et ses deux assistants.

– L'un d'eux était le Grand Prêtre d'Amon Rê, tu ne l'as pas reconnu ? ai-je questionné incrédule.

– Mais pas du tout ! a répété Manon. Si le Grand Prêtre d'Amon Rê avait été là, tu imagines bien que je l'aurais reconnu !

J'ai haussé les épaules.

– Tu es certaine à cent pour cent de ne pas t'être trompée ? m'a demandé Justine.

– Certaine !

– Le Grand Prêtre d'Amon qu'on a vu dans le temple ? s'est inquiété Brodequin.

– Oui, celui qui s'était emparé de l'esprit de Mariam, ai-je souligné.

– Ouh là là là là ! a mugi Brodequin, ça devient nettement plus compliqué, si vous voulez mon avis.

– C'est dingue ! Je n'arrive pas à le croire. C'était Robert-Louis Ciblari et ses assistants. Le Grand Prêtre d'Amon Rê n'y était pas ! a rabâché Manon dans son coin.

– Il y a un truc là-dessous encore ? a temporisé Sami.

– Je dois être la seule à être capable de le voir, ai-je soupiré.

– En tout cas, tant qu'il ne sait pas que tu l'as identifié, on a un temps d'avance sur lui, a fait remarquer Justine, optimiste et convaincue, elle !

– Laisse tomber le temps d'avance. Il en sait assez, ai-je dit.

– Comment ça ?

– Il sait que quelqu'un veut la même chose que lui. Et même s'il ne sait pas précisément qui je suis, il doit bien se douter de « avec qui je suis ». Du coup, il doit avoir compris que nous l'avons identifié.

– Donc, il sait que tu es capable de lui résister, a ajouté Sami.

Sami avait un énorme avantage sur nous. Il n'avait pas vu le Grand Prêtre d'Amon Rê à l'œuvre[1]. Il échappait à la terreur qui petit à petit nous submergeait tous.

Je comprenais pourquoi Moufida sentait une vieille âme puissante se rapprocher de moi. J'étais terrifiée rétrospectivement d'avoir affronté le Grand Prêtre d'Amon.

– Bravo Petite Fleur du matin ! Tu lui as bien résisté ! a soufflé Brodequin avant de se tourner vers Sami :

– Parce que la puissance de ce gars est sans limite. On l'a vu de nos yeux changer un bâton en serpent.

– On fait quoi, maintenant ? a demandé Manon.

---

1. Voir *Sacré scarabée sacré !* et *Le secret d'Akhénaton*, du même auteur.

– Vous, vous préparez le déjeuner. Moi, je vais essayer d'entrer en contact avec Moufida.

Je les ai plantés là et je suis partie dans notre chambre. Je me suis allongée sur mon lit avec mon amulette serrée dans la main et j'ai essayé de dormir afin de permettre à Moufida de me rejoindre dans mon rêve.

Impossible de m'endormir ! Je n'avais pas sommeil, je venais de me lever ! Mes pensées se sont mises à s'agiter. Elles ramenaient la peur et l'angoisse. Elles m'envoyaient des scénarios catastrophes. Je voyais le Grand Prêtre d'Amon réduire à l'état de zombies ma sœur et mes amis tandis que j'étais incapable de l'arrêter. Je me tournais et me retournais sur mon lit. En désespoir de cause, j'ai appelé Moufida.

– Tu peux me rejoindre, si tu en as le désir, a-t-elle répondu.

– Mais...

– Rejoins-moi, Petite Fleur !

– Mais je ne dors pas !

– Nul besoin de dormir. Ton esprit peut tout !

Je me suis concentrée comme j'ai pu et j'ai convié les sensations qui accompagnaient toujours mes rêves et mes voyages dans le temps. En vain.

J'ai passé à mon cou le pendentif de Néfertiti et j'ai évoqué le visage et les yeux verts de Moufida. En vain.

J'ai serré l'amulette, tout en me remémorant les images de la maison de Moufida. En vain.

Une larme d'exaspération a roulé sur ma joue et la voix de Moufida a résonné en moi :

– Calme-toi, Petite Fleur. Tu oublies que pour être fille d'Égypte, il faut cesser d'être fille d'Occident. Fais le vide en toi. Laisse passer ce qui vient à ta conscience sans l'attraper et laisse grandir ton désir de me rejoindre. Il ne sert à rien de dire « je veux ».

Je me suis appliquée à suivre les conseils de Moufida. J'ai fermé les yeux. J'ai cessé de jeter ma raison sur les images qui y remuaient. Elles ont défilé un moment. Puis elles se sont évanouies... et je me suis retrouvée dans la petite maison de Moufida, assise à sa table, en face d'elle.

– Bonjour, fille d'Égypte, m'accueille-t-elle avec ce rire si cristallin et joyeux qui est le sien.

– C'est le Grand Prêtre d'Amon Rê ! Et il a volé la momie.

– Khêty Keferouêt... Je le soupçonnais, mais

tout ce qui le concerne se brouille dans mes visions depuis quelque temps.

– Je ne pourrai jamais l'affronter !

– Oh si ! Tu le peux.

– Mais sa magie est terrible !

– Tu veux dire qu'elle te terrifie. Pourtant, tu n'as rien à craindre de Khêty Keferouêt. Tu dois avoir confiance en ta capacité à le combattre. Tu es aussi puissante que lui et ta sensibilité au monde est plus ample que la sienne... Surtout, tu as une force qu'il n'a pas. Tu ne convoites rien. Lui est rongé par l'envie, la vanité et le mauvais orgueil.

– Moufida... J'ai peur.

– Il y a deux peurs en toi. L'une est la crainte de l'ennemi. Celle-là t'aidera à ne pas le sous-estimer.

Moufida marque un temps.

– Et puis, tu as peur de toi. Tu as peur d'aller chercher en toi ce qui s'y trouve. Tu as peur de te déployer. Pense à cela, Petite Fleur : chacun a le droit de déployer son être, de devenir qui il est.

– Toute seule, je...

– N'as-tu rien appris sur tes pouvoirs, ces derniers jours ? me demande Moufida.

– Ils sont comme un prolongement de mes émotions...

– Oui, m'encourage Moufida.

– Ils ne passent pas par ma volonté consciente.

– Pour le moment, mais cela viendra plus vite que tu ne le crois.

– Ils n'ont d'action que sur les humains, pas sur les choses.

– Non ! Tu peux agir sur les objets à condition qu'ils soient en lien avec un humain.

– Par exemple, si l'objet menace un humain, ou bien au contraire s'il lui est nécessaire ?

– C'est cela.

Elle marque un temps. Dans ses yeux, je lis une infinie tendresse. Puis :

– Ne cherche plus à passer par ta pensée occidentale. Laisse venir tes émotions. Ouvre-toi à toi-même.

– C'est dur pour moi, justement parce que je n'ai pas tellement confiance en moi.

– C'était vrai, il n'y a pas si longtemps encore.

– Et maintenant ?

– Ce que tu as éprouvé de tes possibilités t'a montré de nouveaux rivages, mais tu as peur d'abandonner l'ancienne rive.

Moufida me regarde et ses yeux pétillent de joie.

– Tu veux tout trop vite et dans le même mouvement tu ne veux rien lâcher ! Quitter l'habitude ancienne n'est pas aisé. Rien ne sert de vouloir atteindre tout de suite le nouveau rivage. Mets-toi seulement en route...

J'acquiesce et je lui demande :

– Que s'est-il passé hier avec la momie d'Ankhesenpaaton ?

– Lorsque tu l'as touchée, tu as réveillé la part d'elle qui était restée en toi et tu as été ramenée vers elle, au moment de sa mort.

– Est-ce que j'aurais pu... mourir si...

– Si je n'étais pas intervenue ?... On le dit. Mais il n'avait encore jamais été donné à quelqu'un de toucher la momie d'un ancien dont il avait visité la vie... Personne n'avait donc encore rejoint un ancien à son heure dernière.

– Tu m'as sauvée...

– Je ne suis jamais bien loin de toi. Je t'accompagne et je veille.

Elle a un sourire radieux et gourmand et elle ajoute :

– Car il faut veiller toujours sur l'enfant qui déploie son être.

– Mais, est-ce qu'il ne faudrait pas que je me sois entraînée longtemps pour être aussi forte que le Grand Prêtre d'Amon Rê ?

– Il faudrait surtout que tu acceptes d'être celle qui possède ce don... Si tu te préoccupes de l'autre, de ce qu'il saurait que tu ne saurais pas, de ce qu'il ferait que tu ne ferais pas, tu te coupes de ce qui est en toi et de ce qui est toi, et tu vas vers un échec certain.

– Je vais essayer...

– Tu as réussi à venir me rejoindre. Tout le reste n'est pas plus compliqué. Tu as les quatre éléments à ta disposition, ne les néglige pas... Suis ton esprit... Tu ne le sais pas encore, mais il est rapide. Tâche de ne pas l'entraver... Va, maintenant. Tu ne dois plus perdre de temps... Ne laisse pas Khêty Keferouêt s'emparer du papyrus. Et n'oublie pas. J'accompagne tes premiers pas. Je veille.

J'ai ouvert les yeux et je me suis retrouvée assise sur mon lit. L'amulette était tombée de ma main pendant ce voyage étrange. Il m'a semblé entendre la voix de Moufida qui me disait :

– Tu vois, tu n'as plus besoin de grigri.

12

3, rue Sala

Pendant notre conférence du matin, je leur ai répété les paroles de Moufida.

– Concrètement, ça donne quoi ? a demandé Justine.

– Je pense que la momie est dans l'immeuble au-dessus du canal où vous avez été victimes de l'inondation, là où vous avez cru voir le serpent.

– Tu le sens ?

– Non. C'est une pensée logique, tout à fait occidentale.

Comme ils me regardaient tous avec les yeux exorbités, j'ai ajouté :

– Vous ne pensez pas que c'est ce qu'il y a de plus logique, vous ?

– Ben... si, ont-ils approuvé d'une même voix.

– Reste à savoir où on était quand on a vu ce serpent, a marmonné Brodequin.

– C'était là, a révélé Sami en déroulant le plan sur notre coffre-table et en désignant une petite croix bleue sur la carte.

– C'est toi qui as fait la croix ? a questionné Justine d'un ton de défiance.

– Oui.

– On avait de l'eau jusqu'au cou, un serpent menaçait de manger Camomille et tu as trouvé le temps de faire une croix !

– Un : on croyait avoir de l'eau jusqu'à la taille et non jusqu'au cou, a explosé Sami. Deux : on croyait qu'un serpent allait attaquer Camille...

Sami n'était pas seulement en colère. Il essayait de nous cacher quelque chose qui l'inquiétait, mais je ne parvenais pas à savoir quoi.

– Trois, a-t-il continué, je me suis dit que faire confiance aux impressions de Camille était le plus sûr moyen de ne pas céder à la panique, de ne pas m'enfuir et de ne pas la laisser toute seule face à un danger qui aurait pu devenir réel. J'ai essayé d'être efficace et j'ai eu l'idée de repérer sur la carte l'endroit où nous nous trouvions.

– James Bond, pour vous servir, a sifflé Justine que Sami avait piquée en mettant en cause son courage.

– Ça suffit, Justine ! me suis-je écriée.

Elle a marmonné je ne sais trop quoi dans sa barbe en prenant les deux autres à témoin et elle a demandé :

– Ta croix ? Elle nous mène où ?

– 3, rue Sala.

– Alors, allons-y.

– Attends une minute ! Une fois au 3, rue Sala, on la trouve comment la momie ? est intervenue Manon.

– Camo-euh-Camille, pardi.

– D'accord. Et une fois la momie trouvée, on fait quoi ?

– On avise sur place. Avec de la chance, elle sera toute seule, ou bien Camille nous fera un petit tour de passe-passe et hop, ni vu, ni connu.

– On y va, vous croyez ? a encore hésité Manon.

– On n'a pas le choix, ai-je rétorqué.

– Mais on s'équipe, a décrété Brodequin.

Lampe, pince, ficelle, corde et tout le matos nécessaire à un parfait cambriolage.

Une demi-heure plus tard, nous étions devant le 3, rue Sala.

– Porte d'entrée à code, a constaté Manon.

– Tu peux trouver le code ? s'est enquis Brodequin.

– Non, ai-je répondu.

– Et comment as-tu ouvert la porte du labo au musée ?

– J'avais sans doute trouvé le numéro du code dans la mémoire de Robert-Louis Ciblari, ai-je éludé.

Justine a écarquillé les yeux.

– Ah bon ! s'est-elle exclamée d'une petite voix déçue, je croyais qu'avec ta magie tu pouvais tout faire !

– Sur les choses seules, non, ai-je aboyé, tu me prends pour une sorcière de littérature. Je peux éventuellement tenter des trucs si j'ai les gens à portée de main et si je ressens une émotion !

– Émotion ? a relevé Justine.

– Peur. Colère. Affection...

Je m'apprêtais à ajouter quelque chose comme

« désolée » quand la porte s'est déverrouillée. Je me suis tue. Sami affichait un petit sourire honteux. Silence. Je l'ai interrogé du regard. Silence gêné.

– Sami... mais... comment as-tu fait ? ai-je insisté.

Il a eu un petit rictus bizarre et, après un temps d'hésitation à peine perceptible, il m'a montré un bouton argenté qui se trouvait à côté du boîtier du code et au-dessus duquel il était écrit « porte ».

– Dans la journée, chez moi, il suffit d'appuyer sur ce genre de bouton... Puisque c'était le même, j'ai essayé.

– D'où l'on apprend que Sami a des pouvoirs sur les choses matérielles, lui ! a persiflé Justine. Vous faites une bonne paire, tous les deux !

– Oh, ça va ! l'a rabrouée Sami, furieux.

Je ne comprenais pas comment Sami avait pu appuyer sur ce bouton sans que je le voie. Une chose était certaine, il n'en était pas fier et cela le paniquait de l'avoir fait, d'où sa colère contre Justine. Je ne pouvais faire autrement que de le sentir.

Le hall de l'immeuble était vaste et le sol était

dallé de pierre. Trois marches menaient à la loge du gardien. Au pied des trois marches, il y avait une femme toute en longueur, les deux mains posées sur ses hanches, le buste tendu vers nous. On aurait dit une caricature.

– Qu'est-ce que vous fichez ici ? a-t-elle soudain stridulé d'une voix furieuse. Déguerpissez, ou je vous sors à coups de balai !

L'amulette dans la main, j'ai tendu le bras vers elle :

– Vous ne voyez plus personne... Le hall est vide... Nous pourrons passer et repasser devant vous, vous ne nous verrez pas, ai-je dit en articulant chaque syllabe.

La femme s'est redressée. Elle a passé une main dans ses cheveux. Puis, ses bras sont retombés le long de son corps.

– C'est quand même top ton truc, là ! Si tu pouvais faire la même chose avec le gardien du lycée l'an prochain, ce serait bien, a sifflé Brodequin en agitant sa main en direction de la femme qui regardait à travers nous sans nous voir.

– Ah oui, vraiment impressionnant ! a confirmé Justine.

– Par là, ai-je indiqué en me dirigeant vers l'es-

pace que venait de quitter la longue dame aca-
riâtre.

Comme la veille dans le souterrain, j'étais atti-
rée, mais cette fois par une présence amie.

– Tu crois que... a commencé Manon.

– Je ne crois rien. Suivez-moi, mais ne dites
rien.

Je ne savais pas où j'allais. Je me laissais guider
comme si j'avais eu un bandeau sur les yeux et
que quelqu'un m'eût dirigée. J'étais fébrile.
Derrière moi, je percevais l'étonnement de
Justine, la fierté de Manon, l'état d'ébahissement
et de nonchalance de Brodequin. Chez Sami, l'angoisse prédominait, intimement liée à un autre
sentiment auquel j'avais encore du mal à croire,
mais qui me rendait euphorique.

13

Duel

Je me suis engagée dans l'escalier et nous sommes montés à la queue leu leu dans un silence de plus en plus pesant.

Premier étage. Deuxième étage. Troisième étage. Devant chaque porte, je m'approchais en faisant le vide en moi. Au dernier étage, Justine a soufflé :

– Chou blanc !

Je n'ai pas répondu et j'ai montré du doigt le demi-étage au-dessus de nous.

– Les chambres de bonnes... a murmuré Manon dans un souffle.

Dix marches plus haut, un long couloir. Dix portes. Je ne bouge pas. Peu à peu, la cinquième

porte m'attire. J'avance lentement et je m'arrête.
Je fais signe aux autres de se taire. C'est là ! Je ne
réfléchis même pas, j'entre. Je ne m'étonne pas
de ce que la porte ne soit pas fermée.

Une seule pièce. Assez grande.

En un éclair, je vois la momie sur la table et le
Grand Prêtre d'Amon un peu à l'écart. Il
approche le papyrus de la flamme d'une bou-
gie. Il ânonne des incantations. Jamais je ne
l'atteindrai avant qu'il enflamme le papyrus.
J'attrape une goulée d'air et je souffle. Le papyrus s'envole. Il n'a pas le temps de retomber, je
suis de l'autre côté pour l'attraper. Je ne cherche
pas à comprendre comment j'ai pu changer de
place aussi vite car l'homme lève un bras et
agite un bâton. Sa voix tonne et crache une
incantation. Le bâton enfle à sa plus haute extré-
mité et se fige. Devant moi, un cobra se dresse,
menaçant.

Après une fraction de seconde de flottement et
alors que le cobra glisse vers moi, je crie :

– Eau !

L'animal se noie devant moi et tout disparaît.

On frappe fort contre la porte. Je le perçois
plus que je ne l'entends.

Le corps de l'homme est parcouru d'une convulsion, il prononce une parole dans un cri rauque. Un monstre hideux au corps d'hippopotame, aux pattes de lion, avec une queue de crocodile et des bras d'homme se cambre devant moi.

Je recule, envahie d'un coup par la peur.

— Chasse-le, souffle la voix ferme de Moufida.

L'horrible bête s'approche à me toucher. Je réussis à crier :

— Terre !

Aussitôt, le monstre est enseveli sous un tas de terre et tout disparaît.

Un bref instant, je réalise qu'on cogne toujours sur la porte. Des coups forts et incessants. Mais, le grand prêtre s'élance sur moi en faisant tournoyer son bâton. Je rassemble une énergie dont je n'aurais pas soupçonné l'existence et j'ordonne :

— Brûle, par Aton !

Le Grand Prêtre devient brasier. Une voix en moi ordonne :

— Prends-lui son savoir magique pendant qu'il est occupé avec le feu.

Comme j'hésite, la voix qui est celle de Moufida s'écrie :

– Mémoire, savoirs, sortilèges et maléfices de Khêty Keferouêt, quittez ce corps !

Poussée par je ne sais quelle impulsion, j'entre dans le cercle de feu et j'attrape le bâton des mains du Grand Prêtre d'Amon. Ma tête me brûle, mes pensées sont brouillées par des images inconnues. Je hurle. Un bruit fracassant retentit derrière moi.

Peu à peu, je m'apaise et je me retrouve dans une mansarde assez vaste. La momie est sur la table et, sur le lit, le Grand Prêtre d'Amon gît sur le ventre, sans connaissance.

– Ça va Camille ? interroge Manon derrière moi.

Ils sont là tous les quatre, sur le seuil de la porte. Je remarque que la porte a été défoncée. Incapable de dire un seul mot, je la pointe avec le bâton du Grand Prêtre.

– On a été obligés, répond Manon.

– Oui, parce que nous, on ne sait pas passer à travers les portes, ajoute Justine.

Je parviens à articuler :

– À... travers ?

– C'est comme ça que tu es entrée, toi, précise Manon avec douceur.

– Nous, on est restés coincés derrière parce que la porte était verrouillée, explique Brodequin.

– On a frappé comme des malades pour que tu nous ouvres, mais tu ne nous entendais pas, continue Manon.

Les voix de Manon, Justine et Brodequin me ramènent un peu à la réalité, mais je suis dans un état d'hébétude dont j'ai l'impression que je ne sortirai plus...

C'est la voix de Sami qui m'a rendue à mon état normal.

– Comment te sens-tu? s'est-il enquis.

– Épuisée, mais ça va.

Il m'a serrée dans ses bras. J'ai posé ma tête contre son épaule. Nous sommes restés enlacés un petit moment. J'ai senti ma fatigue se dissoudre et mes forces se restaurer. C'était une sensation agréable mais étrange, car il me semblait que Sami lui-même me donnait toute cette énergie réparatrice.

J'ai soudain pris conscience que les autres étaient là et nous regardaient. Je me suis détachée de Sami et je me suis tournée vers le lit où Khêty Keferouêt gisait toujours inconscient.

– Est-ce qu'il est...

– Non, il respire, a répondu Sami qui s'est penché sur lui et l'a retourné.

– Mais, ce n'est pas Khêty Keferouêt ! me suis-je exclamée, sidérée.

L'homme qui était couché sur le lit avait la corpulence du Grand Prêtre d'Amon, sa chevelure noire et crépue, mais ce n'était pas lui !

– C'est un des deux assistants de Robert-Louis Ciblari, a affirmé Manon avant de préciser, on l'a vu à la télé.

– Pas moi.

– Si ! Il était à la télé, je te jure ! a assuré Manon, tu avais vu Khêty Keferouêt à sa place...

J'ai regardé l'homme avec une moue dubitative.

– Je suis sûre, Camille, à 150 pour cent, a soutenu Manon.

– OK...

– Raconte-nous ce qui s'est passé, m'a demandé Sami.

– Je vous raconterai ça tout à l'heure. Pour l'instant, il faut s'occuper de lui.

– Tu as raison, parce que même s'il n'est pas le Grand Prêtre d'Amon, il a l'air d'avoir de sacrés dons pour la magie égyptienne, a approuvé Manon. Je crains le moment où il va se réveiller.

– Il est aussi inoffensif qu'une mouche, maintenant, l'ai-je rassurée.

Nous avons appelé le commissariat de notre quartier. Le commissaire Berto est arrivé moins de dix minutes après.

– Dès qu'une enquête tourne autour de l'Égypte, vous êtes sur le coup[1] ! a-t-il remarqué alors que nous regardions s'éloigner le fourgon qui emmenait l'homme que j'avais pris pour Khêty Keferouêt.

C'était dit sur un ton plutôt amical.

– Le musée envoie un fourgon pour récupérer la momie... Si vous pouvez passer au commissariat vers 18 heures, a-t-il encore ajouté.

Comme nous prenions un air surpris, il a précisé :

– En tant que témoins...

Et avec un œil malicieux :

– Je suis très curieux d'apprendre comment vous avez atterri là... Je vous ramène ?

– Non merci, avons-nous répondu, unanimes.

---

1. Voir *Sacré scarabée sacré !* et *Le secret d'Akhénaton*, du même auteur.

– Besoin d'air ? s'est-il étonné avec ironie en montant dans sa voiture.

Nous avons gentiment agité la main jusqu'à ce qu'il disparaisse au coin de la rue.

– Allons-y, nous a entraînés Justine, j'ai hâte de savoir ce qui s'est passé pendant qu'on essayait d'ouvrir cette fichue porte.

– Je n'arrive toujours pas à croire que je suis passée au travers.

– Crois-le, a conseillé Brodequin, ça te permettra de mesurer l'étendue de tes compétences... Tu comptes garder longtemps ce bâton avec toi ?

– Je le garde avec moi pour l'instant... C'est celui de Khêty Keferouêt et j'aimerais bien savoir pourquoi cet homme l'avait avec lui.

– Fais attention avec ce machin. Il est peut-être dangereux, a grommelé Brodequin.

14

Camille croit affronter un fantôme

– On t'écoute, a lancé Justine alors que nous nous affalions chacun sur un siège de notre cave.

Je leur ai raconté tout ce qui s'était passé avant leur arrivée fracassante dans la mansarde et je n'ai omis aucun détail sur le duel avec l'homme qui, pour moi, avait pris le visage de Khêty Keferouêt.

– Si j'ai vu cet homme sous les traits du Grand Prêtre d'Amon, ce n'est sûrement pas sans raison. Moufida saura me dire pourquoi, ai-je insisté. Et, jusqu'à nouvel ordre, je continuerai de l'appeler Khêty Keferouêt.

– Comme tu veux, a acquiescé Manon.

– Au fait ! Et le papyrus ? a brusquement réalisé Justine. Tu l'as ?

– Il est... ai-je commencé mais j'ai été interrompue par le hurlement de Justine.

– Qu'est-ce qu'il y a ? s'est affolé Brodequin qui était assis à côté d'elle sur le canapé.

Justine n'a pas eu le temps d'ouvrir la bouche, Brodequin répondait déjà à sa place. D'ailleurs, elle aurait été incapable de prononcer un mot, elle était au bord de l'évanouissement.

– Oh non ! a paniqué Brodequin. Là, Camille... un serpent, sur ses genoux...

– Feu, ai-je crié.

Aussitôt et en moins d'une demi-seconde, une flamme a consumé le serpent.

– C'est incroyable... a marmonné Brodequin. Ça va, Justine ?

– Tout va très bien ! a cinglé Justine, juste la visite d'une vipère et le feu sur mon jean...

– D'où sortait-il ? a demandé Manon.

– Question apparition-disparition, je ne vois qu'une personne ici capable de telles choses, a répondu Justine sur le même ton en me regardant d'un œil noir et accusateur.

– Tu dérailles ! Je n'ai lancé aucun sort !

– OK ! Alors, je te répète la judicieuse question de Manon, d'où sortait-il ?

– Mais comment veux-tu que je te réponde, me suis-je écriée avec plus d'agressivité que je ne l'aurais voulu.

– Laisse-la tranquille, s'est interposée Manon.

Justine a haussé les épaules. Elle s'est levée et s'est mise à marcher en rond autour de nous.

– Reprenons et réponds à la question que je te posais avant que ce fichu serpent apparaisse sur mes genoux. Le papyrus ?

Je la sentais dans mon dos, exaspérée et pressante. Un flot de méchanceté est monté en moi sans que je puisse rien faire pour l'arrêter.

– Camille, a-t-elle soudain supplié la voix cassée.

Je me suis retournée. Le monstre au corps d'hippopotame, aux pattes de lion, avec une queue de crocodile et des bras d'homme que j'avais enseveli lors de mon combat avec Khêty Keferouêt s'apprêtait à lui fondre dessus.

– Terre ! ai-je hurlé en espérant avoir encore assez d'énergie pour combattre. J'ai senti une main se poser sur mon épaule. Inutile de me retourner. Je savais que c'était Sami.

– Raaassin....., a-t-il grogné ou quelque chose de ce genre.

Un petit tas de poussière est apparu à la place même où il était.

– Là, ça suffit ! a tonné Justine. Si ce n'est pas toi, qui est-ce ?

– Khêty Keferouêt... ai-je balbutié, incrédule.

J'ai senti Sami se rapprocher de moi, comme s'il voulait me soutenir.

– Je croyais qu'il était inoffensif comme une mouche, a rétorqué Justine, caustique.

– Il l'est... Enfin, il devrait, ai-je bredouillé.

– Dans ce cas précis, tu saisis bien l'énorme différence qu'il y a entre le présent de l'indicatif et le conditionnel, n'est-ce pas Camille ? a-t-elle sifflé, mauvaise.

– J'ai l'impression d'affronter un fantôme, ai-je maugréé.

Justine était hors d'elle. Elle s'est approchée de moi et a posé ses deux mains sur mes épaules.

– Fantôme ou pas, il faut régler ce problème, je n'ai pas l'intention de subir ses foudres plus longtemps ! a-t-elle proclamé en me secouant.

– Tu me fais mal ! me suis-je récriée.

À peine avais-je dit ça qu'elle se roulait par terre en miaulant de douleur.

– Qu'est-ce que tu as ? s'est précipité Brodequin.

– Mes mains, ça brûle, a-t-elle gémi.

Sami était déjà près d'elle. Il la relevait et cela avait l'air d'être difficile.

– Raaaa....... deuuuuuuu, a-t-il soufflé, et ces sons étranges presque inaudibles paraissaient en même temps sortir de sa poitrine.

Justine s'est redressée et a regardé ses mains, incrédule.

– Je n'ai plus rien, a-t-elle annoncé, mais ce coup-ci je me tire. Débrouillez-vous sans moi ! Merci, Sami...

Elle a claqué la porte et nous nous sommes regardés avec des mines ahuries. Puis, nous avons chu tristement sur le canapé.

– Je ne comprends pas, ai-je marmonné, ce Khêty Keferouêt n'a plus aucun pouvoir. Ça ne peut pas être lui...

Comme personne ne disait rien, j'ai ajouté :

– Il y a un truc bizarre, par contre... J'ai dit « terre » et non « poussière »...

– Et ? s'est inquiété Sami.

– Normalement le mot « terre » n'appelle pas une désintégration.

– Et ? a-t-il insisté.

– Et rien, ai-je reconnu, mais ça m'interpelle...

– Tu n'auras qu'à poser la question à Moufida.

– Moufida ! Je l'avais oubliée avec tout ça. Il faut que je lui annonce que j'ai récupéré le papyrus.

– Et il est où ce fameux papyrus ? a demandé Sami.

– Là, ai-je informé en tapotant la poche de ma veste.

– Montre !

C'était un petit rouleau serré.

– Tu crois qu'on peut le déplier ?

– Il est tellement vieux ! J'aimerais mieux que ce soit Moufida qui le fasse...

– La prochaine étape est donc de contacter Moufida, a suggéré Manon.

– Oui et j'y vais de ce pas.

– Où ?

– À la maison. J'aime mieux être tranquille...

Comme ils se levaient tous les trois pour m'accompagner, j'ai ajouté :

– Juste Sami.

15

Sami intervient

Dans la petite cour, en bas de notre immeuble, nous sommes tombés nez à nez avec l'arrière-train d'un énorme crocodile. Il avait la gueule à moitié ouverte et les yeux rivés sur Justine qui était juchée sur la margelle du puits.

– Camille ! a-t-elle hurlé en nous voyant, c'est ce Khêty Keferouêt qui m'a encore jeté un sort !

Une colère tonitruante est montée en moi. Une énergie terrible m'engloutissait et je ne pouvais rien contre. C'était plus fort que moi, je ne maîtrisais rien. Un ouragan intérieur. J'ai levé les mains en brandissant le bâton du Grand Prêtre d'Amon et je me suis entendue prononcer d'une voix rauque quatre mots en égyptien ancien.

Le crocodile est devenu deux, puis trois, puis quatre, cinq, six, sept ! Justine hurlait. Loin de m'émouvoir, cela me réjouissait. J'ai lancé une nouvelle imprécation et le monstre hippo-croco-lion-homme est apparu. Il allait se jeter sur Justine lorsque Sami m'a ceinturée. Tout s'est passé en quelques secondes, pourtant j'ai eu l'impression d'avoir conscience de chacune d'elles comme si elles avaient duré de longues minutes. La voix de Sami m'a submergée. Il ne criait pas, il parlait à voix haute en faisant sonner chaque syllabe.

– Qua-tre... cin-que... Raaaa ssiiii... deeeeee... cin...

Je l'entendais distinctement. Au fur et à mesure qu'il déclamait, une énergie monstrueuse refoulait en moi et me quittait.

– Queee... Sssiiiii... sssssssss... À toi maintenant, Camille ! s'est-il écrié à l'instant précis où je refaisais surface.

– Terre ! ai-je hurlé.

Au même instant, Sami a crié quelque chose comme « Roi »...

Le monstre et les crocodiles ont disparu instantanément comme aspirés par le sol de la cour.

Justine est descendue de la margelle et s'est approchée de nous. Sami s'était adossé à un mur. Son visage était fermé. J'étais en train de comprendre ce qui m'était arrivé.

J'étais abasourdie.

– Mais... qu'est-ce... qui... s'est... passé ? a bégayé Justine.

– La sorcellerie de Khêty Keferouêt est en moi et je ne la contrôle pas, ai-je expliqué. Déjà dans la cave, c'est moi qui ai fait apparaître le serpent et le monstre... Mais je ne le savais pas... Je viens de le comprendre...

J'étais anéantie et terrifiée. Comment allais-je pouvoir vivre avec la puissance venimeuse de Khêty Keferouêt en moi ?

Justine a levé un sourcil interrogateur. J'ai détaillé :

– Pendant mon affrontement avec lui, quand il était encerclé par le feu, Moufida a voulu que je lui prenne ses savoirs magiques. Maintenant, une partie de son esprit est en moi. C'est pour cela que j'ai été furieuse que tu parles du papyrus et que tu invoques son nom tout à l'heure.

– Susceptible en plus, a ronchonné Justine qui retrouvait son humour.

– Pas exactement moi, mais la part de Khêty Keferouêt en moi...

– J'avais pigé, merci.

Elle s'est tournée vers Sami :

– Par contre, toi... Je n'ai rien compris, sauf que ça a eu l'air efficace...

– Un truc m'a échappé... Je n'ai rien compris, non plus, a avoué Sami.

Il avait les larmes aux yeux. Je percevais son émotion et son inquiétude.

– On aurait cru que Camille t'obéissait, a dit Justine.

– Il y a de ça, ai-je confirmé. Sans Sami, je crois que rien ne m'aurait arrêtée...

Je me suis tournée vers Sami :

– C'est comme si tu avais annihilé la présence de Khêty Keferouêt en moi. Du coup, j'ai pu sauver Justine.

– Il y a autre chose... a commencé Justine.

– Oui, l'ai-je coupée, Sami a su exactement à quel moment j'avais retrouvé mon équilibre... et le mot que j'ai utilisé n'a pas fonctionné comme il aurait dû... Cela s'est également produit tout à l'heure dans la cave.

Sami ne disait rien.

– C'est vrai Sami, ai-je renchéri, chaque fois, tu es intervenu et mon sortilège a été modifié... Dans la cave, j'ai cru que tu grognais, mais je pense que tu disais bel et bien quelque chose de précis...

Sami se taisait toujours. On aurait dit que le ciel lui était tombé sur la tête.

– Il me semble que les sorts de Khêty Keferouêt sont annulés quand Sami s'en mêle, a encore noté Justine.

– Exact.

– Et même, tu vois, je pense qu'il faut qu'il y ait un contact physique entre vous...

Comme je faisais une moue dubitative, elle a ajouté :

– En tout cas, chaque fois, il était en contact avec toi. Je peux te l'assurer.

Sami était maintenant assis par terre, adossé contre le mur, les jambes repliées, le visage caché dans ses bras refermés sur ses genoux.

– Ça va ? me suis-je inquiétée.

Il a levé la tête.

– Oui, a-t-il répondu, tu voulais parler avec Moufida... On devrait y aller.

J'ai soudain senti une présence étrangère se

glisser dans mon esprit. À peine le temps d'en concevoir de l'inquiétude :

– C'est moi, a expliqué la voix de Sami qui me parlait par la pensée, j'ai quelque chose d'incroyable à te dire, mais je veux être seul avec toi.

– On peut te laisser, Justine ? ai-je demandé.

– Oui, oui. Ça va maintenant… Vous pouvez y aller.

16

Révélation

Sami m'a entraînée sur les berges de la
Saône.

– Besoin d'air et d'eau, a-t-il déclaré. Est-ce que
tu pourras quand même contacter Moufida ?

– Oui. Il me faut juste du calme.

Nous nous sommes assis au pied d'un saule.
Le quai était désert. La Saône flemmardait avec
sa nonchalance habituelle.

Sami a attrapé ma main et l'a embrassée avec
une grande tendresse et un grand sérieux. Rien
de cérémonieux, cependant.

– Je pense que tu sais à peu près de quoi je vais
te parler, a-t-il commencé.

–Je me doute, ai-je dit.

Je le sentais sidéré par ce qu'il venait de découvrir sur lui-même. Incrédule aussi.

–Je... Je... Enfin, je veux dire... euh... Je... Que...

–Que tu as des pouvoirs, l'ai-je devancé. En tout cas, celui de contenir ceux de Khêty Keferouêt en moi.

–Oui, a-t-il admis.

–Celui de me parler sans me parler...

–Oui...

–D'entrer dans mes pensées et de les lire ?

–Pas exactement, mais il y a de ça... De te contacter par télépathie, de sentir ce qui se passe en toi...

–De me donner de l'énergie...

–Oui.

–De découvrir les codes des serrures...

–Oui.

Un silence a couru. Une péniche est passée, dérangeant le cours paisible de la rivière. J'ai regardé l'eau venir frapper en petites vagues paresseuses sur la berge.

–Il y a plus, ai-je affirmé.

–Oui... J'emploie des formules dont je ne comprends pas le sens...

– Mais...

– ... que je sens venir de loin en moi.

– Je les ai entendues... Ça ressemble à des formules de maths, tu ne trouves pas ?

– Oui, comme si je parlais en chiffres...

– Le code de la porte du labo au musée ?

– Je l'ai su en posant ma main sur le boîtier et...

– Le code de la porte du 3, rue Sala, aussi, l'ai-je coupé.

– Oui...

– Pourquoi m'as-tu caché ça ?

– Parce que je n'en savais rien avant de te rencontrer...

– Tu veux dire que ça a débuté...

– Quand j'ai posé ma main sur le boîtier de la porte du labo... Ce geste a été plus fort que moi. Je l'ai fait sans comprendre ce que je faisais...

– Je crois que c'était plus tôt, ai-je objecté.

– Tu veux dire le jour où tu as découvert la momie d'Ankhesenpaaton ?

– Oui... Avant de revenir à mon état normal, je t'ai entendu parler et je pense que tu prononçais déjà des chiffres.

– C'est juste. Mais j'avais mis ça sur le compte

de l'angoisse. Ma réaction à ce qui t'arrivait. J'étais loin de me douter de ce qui se passait en réalité.

– Tu me jures que tu ne savais pas avant notre rencontre que tu avais ce don en toi ?

– Je te le jure... Tu sais que c'est vrai.

– Oui, ai-je soufflé, mais je l'ai pressenti dès notre première rencontre. Sauf que cela n'est pas venu jusqu'à ma conscience...

– Tu peux l'expliquer ?

– Oui, de la même manière que Moufida a su bien avant moi que j'avais ce don, j'ai...

– Non, je voulais dire, est-ce que tu peux expliquer pourquoi moi aussi j'ai ce... don ?

– Non, mais c'est comme ça... Je l'ai bien, moi... Pourquoi ne l'aurais-tu pas ?

Il a haussé les épaules avec un petit air contrit.

– On se sent bête, hein, quand on découvre ça ? ai-je commenté.

– Oui. J'ai l'impression de ne plus savoir qui je suis. Tu as ressenti ça, toi aussi ?

– Ne plus savoir qui j'étais ? Non, pas vraiment... Plutôt, ne pas accepter ce côté-là de moi... parce que j'avais l'impression qu'il m'était imposé... Même encore maintenant, je donnerais n'importe quoi pour que cela n'existe pas.

Un autre silence a couru, mais aucune péniche n'est venue déranger la surface de la Saône.

Sami a proposé :

– Tu devrais contacter Moufida. Profites-en pour lui demander si elle est pour quelque chose dans ce qui m'arrive.

Je me suis adossée contre lui et j'ai appelé Moufida.

– Ce n'est pas le Grand Prêtre d'Amon que tu as affronté, mais sa magie, a-t-elle expliqué après m'avoir écoutée sans m'interrompre. Je l'ai réalisé à la fin de votre duel.

– Avec qui ai-je combattu, alors ?

– Tu as combattu avec une partie de l'esprit de Khêty Keferouêt.

– Je ne comprends pas.

– Khêty Keferouêt a très certainement transféré une grande partie de ses facultés à un des prêtres d'Amon. Ensuite, il a envoyé ce complice auprès de la momie d'Ankhesenpaaton afin de retrouver le papyrus sacré...

– Pourquoi est-ce que je voyais Khêty Keferouêt ?

– Tu as reconnu son esprit et tes yeux lui ont redonné son visage.

– Cela explique pourquoi Manon et les autres voyaient le vrai visage du prêtre.

– Oui.

– Et Khêty Keferouêt ?

– Il doit être ici, en Égypte.

– Est-ce que tous ses savoirs magiques sont en moi, maintenant ?

– Ceux qu'il avait donnés à son complice, oui. Il a dû en garder juste assez pour les récupérer.

– Mais je n'en veux pas ! Avec sa puissance maléfique, je mets en danger mes amis !

– Tu as le papyrus ? demande Moufida comme si elle n'avait pas entendu ce que je viens de dire.

– Oui, mais je n'ose pas l'ouvrir.

– Je vais guider ta main. Déplie-le et je le lirai à travers tes yeux.

Je déroule le papyrus et je sens Moufida s'emparer de mon regard et lire avec attention les hiéroglyphes.

– Mariam sera sauvée, assure-t-elle après un moment. Il va t'être possible de lui restituer toute sa mémoire.

– Et Khêty Keferouêt ?

– Nous allons nous débarrasser définitivement de son génie malfaisant.

– Comment ?

– Il faut que tu reviennes en Égypte. J'ai besoin du papyrus et de ta présence... Je t'expliquerai tout cela quand tu seras là...

– Mais comment vais-je vivre avec cette magie diabolique en moi ?

– En apprenant à la repérer et en maîtrisant ses impulsions.

Je fais une grimace dubitative.

– Tu es capable de résister, mais pas pendant une période trop longue, accorde Moufida, Sami t'aidera. Il devra rester près de toi...Venez le plus vite possible...

– Moufida...

– Je devine ta question, rit Moufida.

– Pourquoi Sami peut-il refouler la sorcellerie du Grand Prêtre en moi ?

– Tu poses la question, Petite Fleur ?

– Je crois avoir une réponse, mais...

– Pourquoi ne ferais-tu pas confiance à ce que tu éprouves...

Moufida rit et, l'espace d'un instant elle reprend le visage de la belle jeune femme qu'elle m'a si souvent montré en Égypte, l'été précédent.

– L'amour est le plus fort des pouvoirs, ajoute-t-elle avec tendresse. C'est cet amour qui a révélé à Sami ce qu'il vient de découvrir...

– Dis-moi...

– Je n'en sais guère plus que vous. Ton ami est une vieille âme qui vient d'accéder à sa conscience...

– Mais comment...

– Certaines âmes, les puissantes, voyagent à travers le temps de corps en corps. Le plus souvent, elles ne parviennent pas à l'éveil... L'amour que Sami te porte et le danger que tu cours ont permis à cette vieille âme de se dévoiler...

Je ne dis rien. Moufida me regarde avec ses yeux pétillants de vie.

– Ce n'est pas aussi compliqué que tu l'imagines... L'amour a ouvert l'esprit de Sami. Pour te venir en aide, il a puisé loin et immense en lui, il a élargi son être à tout ce qu'il est... La vieille âme a pu s'y éveiller...

– S'agit-il de cette grande puissance mentale et magique que tu sentais près de moi ?

– Oui... J'ai mis beaucoup de temps à distinguer cette belle et vieille âme de celle, maléfique, de Khêty Keferouêt. Au début, c'était très confus pour moi. Sans doute parce qu'elle s'éveillait juste.

– Mais qui est-elle ?

– Ce n'est pas une âme d'Égypte. Je la sens plus jeune que l'Histoire qui est en moi, mais cependant assez vieille pour se compter en centaines d'années... Sami en porte la connaissance...

– Il n'a pas l'air...

– N'es-tu pas la mieux placée pour comprendre qu'il lui faudra du temps ? Il devra accepter et laisser venir... Et il saura.

– Je peux l'aider ?

– Oui, rit Moufida

– Comment ?

– À toi de le découvrir, Petite Fleur... Va, maintenant. Bientôt, nous en aurons terminé avec les maléfices, souffle-t-elle. Nous nous reverrons en Égypte, ce dont je me réjouis ! Surtout, n'oublie pas de me rapporter le bâton de Khêty Keferouêt. J'aurai à le détruire lorsque j'en aurai fini avec le Grand Prêtre d'Amon.

– J'ai encore une question, dis-je doucement.

– Je t'écoute...

– Pourquoi est-ce que tu ne m'appelles plus Petite Fleur du matin, mais seulement Petite Fleur ?

– Tu n'es plus du matin ! répond Moufida en riant. Tu grandis et cela me rend joyeuse.

17

Préparatifs

Le soir, nous nous sommes retrouvés chez Juliette qui nous avait réservé notre table préférée dans un coin un peu isolé du restaurant. Le brouhaha des gourmets assurait le secret de notre conversation.

– Tant qu'on ne sera pas retournés en Égypte, tu resteras avec les savoirs de Mariam et ceux du Grand Prêtre d'Amon, a récapitulé Justine.

– Et il ne faut pas que ça dure longtemps, ai-je gémi.

– Je ne sais pas vous, mais chez nous, on n'aura pas l'argent pour faire le voyage, s'est inquiétée Manon.

– Chez moi non plus !

– Pareil, a renchéri Brodequin en faisant une grimace déçue.

– Ben... a timidement marmonné Sami.

Il a hésité un peu et, enfin, d'une voix timide et gênée, il a déclaré :

– Je vous l'offre.

– Quoi ? a sursauté Justine.

– Si ça ne vous gêne pas d'accepter, bien sûr, je l'offre à chacun de vous, a répété Sami.

– Oh moi, ça ne me gêne pas, a affirmé Justine.

– Moi non plus, a assuré Brodequin.

Je me taisais et Manon hésitait.

– Mais... Comment vas-tu faire pour... ? a-t-elle commencé.

Sami l'a interrompue.

– Mon père était industriel, a-t-il expliqué avant d'ajouter dans un souffle, riche... Je suis fils unique. Euh... Tout est sous tutelle, mais j'ai l'argent pour... Ça me fait vraiment plaisir...

– D'accord, hein Camille ? a tranché Manon.

J'ai acquiescé d'un signe de tête.

– Qu'est-ce qu'on va raconter à nos parents ? L'été dernier, on était invités par Ali, mais là...

– Je pense que Shakis[1] pourrait nous aider. Je vais lui envoyer un courriel ce soir, ai-je proposé.

– On partirait quand ?

– Le plus tôt possible.

Le téléphone de Manon a sonné. C'était le commissaire Berto. Il nous attendait depuis la fin de l'après-midi !

– On sera là demain matin, à la première heure, s'est excusée Manon.

Brodequin lui a arraché le téléphone des mains et a précisé :

– La première heure pour nous, c'est dix heures et demie !... Promis, on sera pile à l'heure.

Il a rendu son téléphone à Manon, un sourire bienheureux sur les lèvres. Il avait sauvé une moitié de grasse matinée ! C'est Justine qui a posé la question que nous avions tous sur les lèvres :

– Qu'est-ce qu'on va raconter à Berto ? Avec tout ça, on n'a pas eu le temps de le décider.

– Je parlerai et vous acquiescerez à tout ce que je dirai, a suggéré Sami.

C'est ce que nous avons fait. Sami a prétendu qu'on venait voir une de ses copines qui habitait

---

1. Voir *Sacré scarabée sacré !* et *Le secret d'Akhénaton*, du même auteur.

à côté de l'appartement dans lequel était cachée la momie. Croyant être devant la porte de son amie, Sami avait regardé par la serrure et avait vu la momie. Notre passion pour l'Égypte nous avait emportés. Nous avions enfoncé la porte et envoyé un coup de poing dans la figure du type qui avait volé la momie, et voilà...

– Toujours cette fâcheuse habitude d'intervenir sans nous prévenir, a grondé Berto, vous ne changerez donc jamais...

Il nous regardait un rien fâché.

– J'aimerais bien que ce soit la dernière fois, quand même, a-t-il insisté en nous raccompagnant.

– Promis, avons-nous juré.

– Tenez-nous au courant de la suite, a ajouté Manon.

– Le suspect est un des assistants de Robert-Louis Ciblari, il m'a l'air assez dérangé. J'ai demandé une expertise psychiatrique... Tâchez de vous occuper comme les jeunes de votre âge, a-t-il encore conseillé avant de repartir en direction de son bureau.

Au retour du commissariat, j'ai trouvé un courriel de Shakis qui répondait au message que je lui avais envoyé la veille. Moufida avait déjà pris contact avec elle. Nous étions officiellement invités au Caire. Ali et elle seraient heureux de nous accueillir chez eux. Nous pourrions rester le temps que nous voudrions.

– C'est-à-dire le temps qu'il faudra pour mener à bien nos petites affaires, s'est réjouie Justine.

Nous sommes allés porter la bonne nouvelle dans nos familles et obtenir l'autorisation du départ. Les « oui » ont été unanimes. Nous partirions le lendemain de nos examens, dix jours plus tard. Ces dix jours sont passés comme un éclair tant ils ont été remplis. Avec Sami et, conformément aux consignes de Moufida, nous ne nous sommes pas quittés. Je l'ai attendu devant le bâtiment où il passait ses partiels et il a fait de même lorsque j'ai passé mon brevet. Nous étions reliés par nos esprits. Je dois avouer qu'en maths il m'a un peu aidée sur un exercice de géométrie devant lequel je calais. Sa facilité avec les chiffres me fascinait. Au fil des jours, je découvrais qu'il jonglait avec les chiffres, les nombres et les concepts mathématiques comme si tout cela avait été sa langue maternelle...

Les préparatifs de voyage ont comblé le reste de ces dix jours. Et c'est ainsi que nous nous sommes retrouvés chez les Sadoual. Moufida et Mariam étaient arrivées la veille. Moufida était très fatiguée à cause de son voyage, mais il y avait toujours cet éclair rieur dans ses yeux.

Nous étions installés autour d'une table basse. Shakis avait disposé deux plateaux de pâtisseries et nous servait du thé à la menthe. La Grande Prêtresse d'Aton se taisait, mais regardait chacun de nous avec cette présence intense qui la caractérise. Mariam était assise à sa droite. Nous avons goûté dans la joie des retrouvailles. Puis, Moufida m'a demandé de lui remettre le papyrus et les choses sérieuses ont commencé.

Moufida, Mariam, Shakis et Ali sont restés un long moment penchés sur le précieux manuscrit avant que Shakis prenne la parole :

– Ce papyrus révèle l'existence et l'accès d'une chambre secrète dans la pyramide de Khéops. Il s'agit de la chambre de la Régénération, elle renferme la pierre de Régénération qui lui a donné son nom.

– Nous avons toujours su son existence, a précisé Moufida, mais ce papyrus en dévoile le lieu exact. Jusqu'à Toutankhamon, chaque pharaon avant son intronisation se rendait dans la chambre de la Régénération pour recevoir l'Illumination qui lui permettrait de guider le peuple sans se tromper. Là, il purifiait son âme et protégeait son esprit contre toute atteinte extérieure. Nul ne devait parvenir à s'introduire dans les pensées de Pharaon.

– Je pense que la pierre de Régénération va permettre à Mariam d'accéder à la renaissance de ses facultés psychiques.

– Tu pourras alors me rendre ma mémoire, a ajouté Mariam en se tournant vers moi.

– Oui. Et, ensuite, Petite Fleur subira à son tour la régénération, a encore dit Moufida.

– Et tout ce qui appartient à Khêty Keferouêt disparaîtra définitivement ? me suis-je assurée.

– Définitivement.

– Et mes pouvoirs ? ai-je questionné, toujours désireuse de me débarrasser de cette magie égyptienne qui m'était tombée dessus sans crier gare l'été précédent.

– Tu les garderas, a répondu Moufida, ils font partie de l'essence de ton être.

Je n'ai pas relevé. J'ai senti l'esprit de la

Grande Prêtresse d'Aton venir rencontrer le mien.

– On ne peut pas refuser d'être qui l'on est, m'a-t-elle confié, ce serait une tâche vaine dans laquelle toute notre énergie s'épuiserait... Accepte d'être celle qui possède ce don. Ce n'est que lorsque tu l'auras accepté que tu pourras y renoncer si tu le souhaites encore.

– Je n'ai pas de chance, ai-je ronchonné.

– Ce que je viens de te dire est vrai pour chaque être humain... Mais, pour Sami et toi, s'ajoute le fait que votre don est un don de magie...

Notre tête-à-tête silencieux a été rompu par Manon qui a demandé :

– On peut en savoir un peu plus sur le contenu du papyrus ?

– Il détaille les lieux… a expliqué Ali. L'accès à la chambre de la Régénération se trouve dans la chambre de la Reine. Nous devrions trouver un long couloir descendant vers le côté sud de la pyramide. Enfin, nous aurons à traverser trois antichambres et ce sera la chambre de la Régénération.

– Est-ce que tout le monde pourra être de l'expédition ? s'est inquiétée Justine.

– Oui, a répondu Shakis, le papyrus parle d'obstacles à franchir avant d'atteindre la pierre sacrée. Nous aurons besoin des talents de Camille et Sami pour arriver jusqu'à la chambre de la Régénération. Et je ne pense pas, tels que je vous connais, que Manon, Brodequin et toi vous contenteriez d'attendre ici de nos nouvelles…

– Tu nous connais bien, a approuvé ma sœur en riant.

– Quand irons-nous dans la pyramide ?

– Je prépare cette expédition depuis dix jours, a informé Ali, j'ai obtenu l'arrêt des visites touristiques. Nous irons après-demain.

Comme nous marquions notre étonnement devant la brièveté de ce délai, Moufida a déclaré :

– Je me fais vieille et mes forces me quittent, je dois terminer l'initiation de Mariam avant de mourir. Et Petite Fleur ne pourra plus très longtemps résister à la magie maléfique qu'elle abrite.

Elle a marqué un temps et, pour couper court aux questions que Sami et moi nous préparions à lui poser, elle a ajouté d'un ton qui fermait la discussion :

– Vous saurez en temps voulu ce que vous devez savoir.

18

Dans la pyramide

Deux jours plus tard, dans le petit matin, une brume évanescente nappait la base des pyramides vers lesquelles nous roulions. Petit à petit, les célèbres demoiselles sont devenues géantes et j'ai retrouvé les impressions que j'avais éprouvées l'été précédent devant les constructions de l'Égypte ancienne. Notamment celle de n'être qu'une frêle petite personne.

Nous nous sommes garés devant l'espèce de hangar construit au pied de la pyramide de Khéops. Là, nous avons déchargé le matériel avant de nous le répartir. Il y avait de quoi subsister quelques jours.

Lorsque nous avons commencé à descendre dans le couloir d'entrée, de frêle petite personne j'ai eu la sensation de devenir minuscule entité négligeable, puis ridicule atome dilué dans l'immensité des lieux. Sami m'a prise par la main.

Ali et Shakis étaient devant. Ensuite, venaient Moufida, Mariam, Manon, Brodequin et Justine. Nous fermions la marche. Moufida avait décidé de cet ordre.

Nous avons parcouru une trentaine de mètres avant de remonter une longue galerie qui a débouché dans la chambre de la Reine. C'était une salle assez petite d'une sobriété confondante. Rien à voir avec la splendeur du tombeau d'Akhénaton.

Shakis a déroulé le papyrus et nous a montré quatre dalles sur le sol.

– L'accès au couloir secret est là-dessous, a-t-elle indiqué.

Moufida m'a fait un petit signe et sa voix a résonné en moi :

– Petite Fleur, il faut que ce passage s'ouvre...

Je me suis assise devant les dalles. J'ai senti Sami dans mon dos.

– Je vais t'aider, a-t-il murmuré en posant ses mains sur mes épaules.

Nos pensées se sont liées et nos volontés se sont unies.

– Raaaasssinede... a grogné Sami tandis que je m'écriais :

– Poussière !

Les dalles se sont mises à vibrer. Une nappe de poussière blanche a déferlé comme meurt une vague sur la grève. Les pierres se sont fendillées puis effritées, découvrant un passage. Le sol s'est affaissé en une pluie de sable qui s'est écoulée le long d'un escalier qui descendait sous la chambre de la Reine

Ali a distribué des torches à chacun d'entre nous.

– Allons ! a commandé Moufida de sa voix douce.

Tandis que nous nous mettions en route, elle a ajouté en se tournant vers Sami et moi :

– Refermez derrière nous.

– Je vous attends, a décrété Manon qui était la dernière à entrer dans le passage secret.

Nous lui avons emboîté le pas et nous avons descendu une dizaine de marches. Puis, nous nous sommes retournés.

– Troiiii... a grondé Sami.

– Pierre ! ai-je lancé.

Le sable fin qui s'était accumulé sur les marches a été aspiré par l'ouverture que nous venions de ménager et la pierre s'est reconstituée refermant le passage au-dessus de nous.

– Magique ! n'a pu s'empêcher de chuchoter Manon, admirative.

Nous sommes descendus lentement. Les marches étaient hautes et la pente raide. Au bas de l'escalier nous avons trouvé une galerie. Ali, qui avançait boussole à la main, nous a confirmé que nous marchions vers le sud. Une ou deux minutes plus tard, notre petite troupe s'est arrêtée. Devant nous, la galerie n'était plus qu'un canal dont le faisceau de nos lampes n'apercevait pas la fin. L'eau s'étalait d'un mur à l'autre, rendant impossible toute progression.

– Quelqu'un a un bateau pneumatique ? a demandé Justine avec cette causticité qui n'appartient qu'à elle.

– Il doit y avoir un moyen de passer. Cette eau n'est là que pour empêcher les profanes qui auraient réussi à arriver jusque-là d'accéder à la chambre de la Régénération, a expliqué Ali.

J'ai senti la main de Sami se glisser dans la mienne et son esprit rejoindre le mien. J'ai fermé les yeux et le passage devant nous s'est matérialisé doucement sous mes paupières. De longues pierres plates à peine immergées dessinaient un chemin.

– Oui, Petite Fleur, a chantonné la voix de Moufida, tu vois bien et Sami aussi... Mais les autres ne voient pas et ils doivent traverser.

D'une même voix, Sami et moi nous sommes mis à marmonner :

– Raaaci.... nequaa.... tremoiiinfi...

C'était la première fois que j'utilisais les mots de la magie de Sami. Son énergie se joignait à la mienne et l'amplifiait. Cette sensation était euphorisante.

Devant nous, l'eau s'est mise à bouillonner et les pierres ont émergé.

– Allons-y, a ordonné Moufida au reste de la troupe, il leur faudra beaucoup d'énergie pour tenir le passage.

Ali a ouvert la marche et les autres ont suivi. Sami et moi avons attendu qu'ils aient tous franchi le canal et nous nous sommes lancés, main dans la main. Au milieu du gué, comme si un ordre impérieux me l'avait commandé, j'ai lâché la main de Sami. L'eau s'est mise à clapoter recouvrant les pierres. Une fatigue lourde m'a engourdie. J'étais terrorisée et, pourtant, une jubilation fébrile courait le long de mon dos. Des vagues se sont mises à déferler, menaçant de nous renverser. Une incantation en égyptien ancien s'est formée en moi, mes lèvres l'ont formulée en un chuchotement lent et puissant et une dizaine de crocodiles sont apparus autour de nous.

– Camille, a hurlé Manon.

Mais, déjà, Sami m'avait ceinturée.

– Deuuuuittra...ssineedeeettt....rooiii... a-t-il marmonné dans cette espèce de grognement qui caractérise ses charmes.

L'eau s'est calmée et a englouti les crocodiles tandis qu'une douleur indicible me déchirait la poitrine et m'arrachait un hurlement qui a résonné quelques secondes dans la galerie.

– Camille ?... Ça va ? s'est alarmé Sami qui avait du mal à reprendre son souffle.

– Oui... C'est moi qui ai provoqué ça, ai-je gémi.

– La magie de Khêty Keferouêt en toi, a-t-il rectifié un peu rudement, avançons ! Il est grand temps qu'on en finisse.

Un silence lourd et plein de compassion nous a accueillis de l'autre côté du gué. Moufida a coupé court à toute discussion en ordonnant la reprise immédiate de notre progression.

Puis, la Grande Prêtresse d'Aton m'a rejointe en pensée.

– Dis-moi ce qui s'est passé Petite Fleur et laisse parler tes émotions...

J'ai raconté ce que j'avais vécu et comment l'influence de Khêty Keferouêt provoquait une fatigue lancinante avant de prendre possession de ma volonté.

– Sois à l'écoute de ce qui n'est pas toi et réagis dès que cette langueur s'empare de toi.

Elle a conseillé à Sami de ne pas me lâcher afin de pouvoir intervenir avant tout nouveau maléfice.

– Sinon, je crains que notre Petite Fleur n'y résiste pas.

C'était la première fois que j'entendais Moufida dire ouvertement son inquiétude. L'angoisse a fondu sur moi d'un coup et, dans le même temps, un sentiment intense a enlacé mon esprit, l'a caressé, puis submergé. Il m'a fallu quelques secondes pour comprendre que c'était Sami qui réagissait à ce qu'avait dit Moufida.

Je me suis arrêtée et je l'ai regardé. Un sourire dansait sur ses lèvres et ses yeux brillaient d'une gaieté contagieuse.

– Alliance, a-t-il soufflé en serrant sa main dans la mienne.

– Alliance, ai-je répété envahie par une sensation de confiance encore jamais éprouvée.

19

Antichambres

Enfin, nous sommes arrivés dans une espèce d'antichambre rectangulaire dont les dimensions m'ont paru raisonnables pour une construction de l'Égypte ancienne. La pierre y était brute. Aucune peinture sur les murs. Trois colonnes étaient alignées au milieu et semblaient soutenir le plafond. Ali nous a expliqué qu'il n'en était rien. D'après lui, ces colonnes n'étaient pas porteuses mais symboliques. Leur alignement et leur forme octogonale devaient signifier quelque chose.

– L'acte créateur et la libération pleine, concrétisés dans l'espace et le temps, a déclaré Sami.

– Tu sais ça, toi ?

Sami a regardé Justine.

– Faut croire, a-t-il répondu avec douceur sans chercher à cacher qu'il en était le premier surpris.

– La magie de Sami a un rapport avec les chiffres, ai-je révélé.

– Je commence aussi à le penser, a approuvé Sami.

– Ne pense pas, éprouve ! lui a suggéré Moufida, il est trop tôt pour que tu penses ta magie.

– En attendant, comment continue-t-on ? a interrogé Manon. Il n'y a pas d'issue. Nous sommes dans un cul-de-sac.

Sami m'a entraînée jusqu'à la colonne du milieu et nous en avons fait lentement le tour. Sa main gauche glissait sur la pierre. Il a avancé droit devant lui en direction d'un des murs.

– C'est là, a-t-il affirmé.

– Comment le sais-tu ?

– C'est le chiffre huit qui domine, ici... En face de la huitième face, a-t-il révélé laconique.

Nous avons inspecté le mur qui était fait de blocs de pierres rectangulaires. En apparence, pas de porte.

– Ne cherche pas avec tes yeux de fille d'Occident, a glissé Moufida qui venait de se faufiler dans ma conscience.

J'ai fait le vide en moi et j'ai senti l'esprit de Sami près du mien. Le mur s'est mis à flotter et une salle m'est apparue. Vide, mais aux parois peintes de fresques aux couleurs éclatantes. Je me suis avancée. J'ai posé ma main droite sur une des jointures horizontales. Moufida a psalmodié une incantation.

Dans un bruit sourd, un pan du mur s'est effacé et nous sommes entrés. La salle était nettement plus grande que la précédente.

– La seconde antichambre, a murmuré Shakis.

– Le mécanisme d'ouverture de la porte est caché dans une de ces peintures, a informé Ali qui cherchait déjà l'accès à la salle suivante.

– Les inscriptions parlent de gagner au Senet.

Mariam venait de repérer une fresque sur laquelle étaient dessinées les étapes de plusieurs parties de ce jeu qui était pratiqué par les anciens égyptiens.

– Aucune des cinq parties représentées ne se termine, a noté Ali.

– Je pense qu'il nous faut trouver celle dont le

prochain coup serait gagnant, a interprété Shakis en consultant le papyrus.

– Est-ce que vous pourriez m'expliquer le principe du jeu ? a demandé Sami.

Shakis a sorti de son sac un petit jeu de Senet.

– Comme il était question de ce jeu sur le papyrus, je l'ai apporté. Ali et moi allons faire quelques parties devant toi afin que tu comprennes.

Le jeu se composait de quatre bâtonnets, de quatorze pions et d'un plateau de bois de forme rectangulaire sur lequel était dessiné un damier. Trois lignes de dix cases chacune. Des dessins étaient gravés sur certaines d'entre elles.

Nous nous sommes assis sur le sol et nous avons regardé les Sadoual jouer. Cela m'évoquait le jeu de l'oie et le jeu de dames. De temps en temps, Ali précisait une règle ou indiquait la signification d'une inscription. Lorsque Sami a estimé maîtriser les règles du Senet, il s'est levé, sa main droite toujours dans ma main gauche. Il a parcouru chaque partie sur les murs et, sans hésitation, il a appuyé sur un des pions de la troisième partie. La dalle qui abritait la fresque s'est escamotée et a ouvert sur une troisième salle immense, décorée comme celle que nous quittions. Au fond, devant nous, se dressaient trois portes gigantesques. Au pied de chacune d'elles des restes de squelettes humains gisaient sur le sol sablonneux.

– C'est là que nous avons toujours échoué, a lancé une voix méchante derrière nous.

Je me suis retournée dans un sursaut et j'ai vu deux hommes avec des revolvers pointés dans notre direction. L'un était grand et baraqué, l'autre petit et maigre. Derrière eux, se tenait Khêty Keferouêt.

Les deux hommes se sont avancés. Le plus grand tirait Khêty Keferouêt par la main. Je me suis mise à trembler. Manon, Justine et Brodequin ont reculé eux aussi.

– Lâche ta perception de fille d'Occident, a enjoint Moufida dans mon esprit, tu ne perçois rien, vraiment ?

J'ai lâché ma peur et, petit à petit, je me suis aventurée dans la conscience de Khêty Keferouêt. J'ai senti un grand vide en lui.

– Il est inoffensif ?

– Presque. Il lui reste juste assez d'énergie pour reprendre sa puissance maléfique à quelqu'un qui désirerait la lui rendre...

– Cela lui aurait été possible avec le prêtre à qui il l'avait confiée, a traduit Sami.

– Oui.

– Et avec Camille ?

– Petite Fleur n'est pas une amie pour lui !... Mais nous devons être vigilants quand même, a conseillé Moufida.

Elle n'a pas eu le temps d'en dire plus. Une douleur aiguë m'a percé la tête.

– Samiiiiiiii, ai-je hurlé.

Une volonté s'imposait à moi et m'enserrait comme un étau. Le Grand Prêtre d'Amon tentait de rejoindre sa magie en moi et il me sommait de lui rendre ses savoirs magiques.

– Vide-toi de toute pensée, m'a recommandé Moufida.

Je me suis fermée à la perception de mes sens, acceptant seulement la voix de Sami que j'entendais prononcer ses incantations. Des images qui appartenaient à Khêty Keferouêt s'agitaient dans ma mémoire. Je n'ai pas cherché à les repousser. Je les ai laissé flotter sans les penser afin qu'elles n'accaparent pas mon esprit.

Peu à peu, j'ai senti mes forces se reconstituer et grandir. Je tenais verrouillée en moi la science du Grand Prêtre d'Amon et je pouvais laisser venir mes images. L'étau était toujours là, mais je disposais de ma volonté. Je me suis infiltrée dans l'esprit de Khêty Keferouêt et je lui ai imposé de ne pas tenter de récupérer sa puissance magique dans le mien.

Aussitôt, l'étau s'est relâché et a disparu.

– Ça va aller, ai-je affirmé.

Le calme est revenu. Un calme relatif puisque nous étions au fin fond de la pyramide de Khéops avec trois adversaires et deux revolvers pointés sur nous !

– Depuis longtemps nous connaissons l'existence de la chambre de la Régénération, a soudain ricané le plus petit des deux hommes, mais comme vous pouvez le constater, nous avons toujours échoué ici, a-t-il ajouté en désignant les morceaux de squelettes devant les portes.

– Cette fois, nous comptons sur vous ! a enchaîné son acolyte sur le même ton, notre Grand Prêtre retrouvera ce qui lui a été pris et nous en finirons avec vous.

Sami et moi nous apprêtions à leur lancer un sort, mais Moufida nous a arrêtés.

– Ils sont sous une protection magique. Le sort

se retournerait contre vous, a-t-elle soufflé dans nos consciences.

– Ce n'est pas une protection très forte, ai-je objecté, je la sens facile à percer...

– Certes, mais gardez votre énergie pour ce qui nous attend... Continuons à avancer... De toute façon, leur sort se réglera dans la chambre de la Régénération.

– Trouvez l'entrée ! nous a crié le petit homme, si vous ne voulez pas tous finir avec une balle dans le ventre.

– Alors laissez-nous travailler, leur a rétorqué Sami.

– Faites ! Mais ne tentez rien contre nous.

Sami et moi nous sommes placés devant les trois portes. Nous avons fait le vide en nous et avons uni nos esprits comme jamais auparavant. Et d'un coup, j'ai senti que nous ne faisions plus qu'un. Nous nous sommes laissé envahir par nos perceptions. Très vite, nous avons dépassé la présence de nos amis et celle de nos ennemis. Un silence dense s'est installé. Cela a duré jusqu'à ce que nous nous sentions flotter dans un équilibre parfait.

– Le passage n'est pas derrière une de ces

portes, avons-nous pensé, ces portes sont un leurre...

Peu à peu, nous nous sommes sentis aspirés vers un des angles de la salle. Nous nous sommes approchés.

– Plein sud, a chuchoté Ali à Moufida.

Sa voix n'avait été qu'un souffle, mais nos corps percevaient le monde avec une acuité décuplée.

Près de l'angle, sur la fresque d'un des murs, était représenté un soleil qui s'est mis à scintiller. J'ai posé ma main dessus. Lentement, le soleil s'est agrandi et un passage est apparu.

– Restez où vous êtes ! a crié un des hommes derrière nous.

Les trois hommes se sont précipités dans la salle que nous venions d'ouvrir. Puis, rien d'autre que le silence. Comme si le noir de l'autre côté du passage les avait avalés.

– Qu'est-ce qui se passe là-dedans ? a murmuré Justine au bout d'un moment.

Un vide étrange nous parvenait. Aucune présence vivante n'était perceptible.

– Ils se... meurent, ai-je articulé ne voulant pas croire à ce que Sami et moi ressentions.

– Oui... Ils se meurent, a confirmé Moufida, seul celui qui est pur dans ses intentions et initié aux pouvoirs de l'esprit peut pénétrer dans la chambre de la Régénération...

Je n'ai pas entendu la fin de sa phrase. Ma tête s'est mise à bouillonner sous un tourbillon d'images qui m'a engloutie provoquant une douleur incroyable. C'était comme si des millions d'aiguilles m'avaient piqué le cerveau. Je me suis effondrée. Un étau menaçait de me broyer. Je ne luttais pas. Je me laissais emporter.

J'étais au bord de l'évanouissement lorsque la voix de Sami m'est parvenue faible et lointaine.

– Ne perds pas conscience... La sorcellerie de Khêty Keferouêt te quitte. Elle meurt avec lui. Reste éveillée... Refuse qu'il s'accroche à toi. Libère son savoir... Je suis toujours avec toi...

Accrochée aux paroles de Sami, j'ai traversé la douleur pour accompagner cette mort, libérant mon angoisse, encourageant la vie qui entrait de nouveau en moi.

J'ai eu l'impression de sortir d'un long sommeil. J'étais allongée contre Sami qui me tenait fermement. Penchées au-dessus de moi, Moufida et Mariam m'observaient. Tout était fini.

Moufida s'est agenouillée et a posé son front contre mon front.

Sa voix était emplie d'amour et de compassion :

– Prends de moi l'énergie qu'il te faut, Petite Fleur... Tu dois récupérer avant d'entrer dans la chambre de la Régénération.

20

L'aventure se termine

Lorsque j'ai eu recouvré mes forces, Moufida s'est levée et a déclaré :

— Mariam, Petite Fleur et Sami viendront avec moi.

— Nous vous attendrons ici, a approuvé Brodequin qui n'en menait pas large.

Nous nous sommes approchés du seuil. Le sol de la chambre était de sable fin. Les murs étaient vierges de toute peinture. Au centre était posée une gigantesque pierre noire à cinq faces. Les corps de Khêty Keferouêt et de ses sbires gisaient sur le sol. Ils n'avaient plus rien d'humain. On aurait dit des statues de sable.

– Nous devons attendre avant d'aller plus loin, a expliqué Moufida en nous arrêtant d'un geste autoritaire, nous ne pouvons marcher sur le sol tant qu'il est impur.

Devant nous, les trois corps se sont effrités. Lentement d'abord. Et, de plus en plus vite, en une rivière de sable qui s'écoulait sous le sol de la chambre de la Régénération. Puis le sable s'est mis à ondoyer. Un vent s'est levé et a balayé l'espace. Huit vaguelettes de sable se sont succédé.

Le calme est revenu. Le sol était vierge de toute trace.

La voix de Moufida s'est élevée :

– Nous venons vers Toi, ô Dieu Unique, qui fais du Soleil l'essence de toute vie... Que ta puissance régénératrice redonne à Mariam la force de l'esprit.

Moufida nous a invités à pénétrer plus avant dans la salle. Elle a désigné la pierre à sa fille aînée.

Mariam s'est avancée lentement. Elle a plaqué ses deux mains et son front contre le rocher noir. Après un long silence de recueillement, elle s'est mise à psalmodier des sons dont je ne comprenais pas le sens.

Enfin, Mariam s'est tournée vers moi et m'a fait signe de la rejoindre. Nous avons lié nos mains comme nous l'avions fait un an auparavant dans la tombe d'Akhénaton. La Grande Prêtresse d'Aton s'est approchée de nous. Elle a demandé à Sami de quitter mon esprit et s'est tournée vers moi :

– Abolis ta volonté, Petite Fleur, nous allons rendre à Mariam la mémoire qui lui appartient et que tu as protégée. Ne pense pas, ne cherche pas ta conscience, ô Fille adoptée par la Grande Égypte, accepte de rendre sa connaissance à Mariam… Laisse la future Prêtresse d'Aton reprendre en toi ce qui lui appartient…

Des images, des chants, des incantations et des prières ont envahi mes pensées pour disparaître aussitôt. J'ai senti mon esprit se refermer, reprendre son unicité. Une paix indicible s'est répandue en moi, mêlée à une joie profonde.

– Désormais vos mémoires diffèrent, vos êtres ne sont plus liés, vous êtes libres l'une de l'autre…

Mariam a lâché mes mains et m'a serrée contre elle.

– Mon amitié et ma reconnaissance n'auront pas de faille, m'a-t-elle promis avec solennité avant de se tourner vers Sami, merci encore à tous les deux.

Lorsque nous sommes sortis de la pyramide, la nuit était encore là. L'air était froid. Notre aventure souterraine avait duré un peu moins de vingt-quatre heures mais avait bouleversé ma perception du temps. Il me semblait avoir vécu très longtemps depuis mon départ de Lyon.

Sami et moi avons marché en direction du sphinx, sous un ciel constellé d'étoiles. Nous n'avions pas envie de parler. Nos pensées flottaient, se mêlant avec nonchalance. Le froid me faisait du bien et j'avais l'impression qu'il me régénérait bien plus que ne l'avait fait mon séjour sous la pyramide.

– Vas-tu accepter d'être celle qui possède cette magie ? s'est enquis Sami.

– Et toi ? me suis-je dérobée.

Comme Sami se taisait, j'ai répondu :

– Je m'apprivoise...

– J'ai cette sensation, aussi. Comme si je découvrais qui j'étais. Comme s'il fallait que je m'habitue à ce que je suis... m'a confié Sami.

– Sais-tu qui est cette vieille âme en toi ?

– Non. Je comprends que mon pouvoir est lié

à la magie des nombres. Des bribes de souvenirs me viennent…

Nous nous sommes réinstallés dans un silence vite rompu par le bruit du moteur des voitures qui arrivaient à notre hauteur.

– Allez les amoureux, on vous embarque ! a lancé Justine. Moufida doit brûler le bâton du Grand Prêtre d'Amon avant le lever du soleil...

Nous avons passé tout l'été en Égypte, entre le Caire et Louxor, où nous avions raccompagné Moufida. Là-bas, la Grande Prêtresse d'Aton a veillé avec un soin jaloux au progrès de la maîtrise de nos dons. Cependant, lorsque nous sommes revenus à Lyon, Sami n'en savait pas plus sur sa vieille âme. Comme nous en parlions, la veille de la rentrée des classes, une tristesse au cœur car nous ne nous étions pas séparés depuis deux mois et demi, il a prédit d'un ton tendre et malicieux :

– Mais nous avons du temps devant nous pour le découvrir !

junior

Collection animée par Jack Chaboud

Magnard Jeunesse, 2007
20, rue Berbier-du-Mets
75013 PARIS
www.magnard.fr

Conception de couverture : Lonsdale
Photogravure : MCP Jouve
N° ISSN : 1767-3038 / N° ISBN : 978-2-210-98633-6

N° d'éditeur : 2007/278 – Dépôt légal : septembre 2007
Achevé d'imprimer en août 2007
par France Quercy - Mercuès (France)
N° d'impression : 71965/